Centro! 1

Attività per stranieri sulla grammatica e il lessico

Daniele Baldassarri
Manuela Brizzi

QUADRO COMUNE EUROPEO DI RIFERIMENTO
A1-A2
elementare

www.edilingua.it

Daniele Baldassarri è Dottore di ricerca in Italianistica ed esperto in Didattica dell'Italiano lingua non materna. Ha iniziato la sua attività presso i maggiori istituti di Lingua e cultura italiana in Atene e attualmente collabora, a fasi alterne, con l'Università per Stranieri di Perugia, l'Università degli studi di Roma «Tor Vergata» e l'Università degli studi di Roma Tre.

Manuela Brizzi è docente di Lingua italiana a stranieri. Collabora da molti anni con l'Università degli Studi di Roma "Tor Vergata" dove insegna italiano L2 agli studenti Erasmus ospiti dell'Ateneo.

Sede legale
Via Cola di Rienzo, 212 00192 Roma
Tel. +39 06 96727307
Fax +39 06 94443138
info@edilingua.it
www.edilingua.it

Deposito e Centro di distribuzione
Via Moroianni, 65 12133 Atene
Tel. +30 210 5733900
Fax +30 210 5758903

I edizione: giugno 2014
ISBN: 978-960-693-099-7
Redazione: Viviana Mirabile, Laura Piccolo, Antonio Bidetti
Illustrazioni: Alfredo Belli
Registrazioni: *Autori Multimediali*, Milano

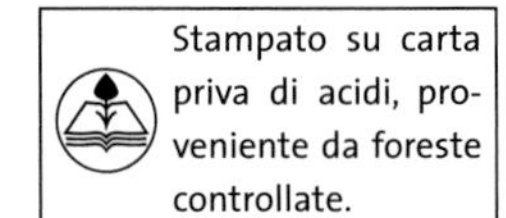

Gli autori apprezzerebbero, da parte dei colleghi, eventuali suggerimenti, segnalazioni e commenti sull'opera (da inviare a redazione@edilingua.it).

Presentazione

Centro! – tecniche e attività nelle classi di italiano lingua non materna, livello A1-A2 – è un manuale concepito come un vero e proprio quaderno operativo che contribuisce ad arricchire in maniera originale la manualistica relativa alla didattica dell'italiano lingua non materna. Infatti, è realizzato attraverso l'elaborazione di una molteplicità di tecniche glottodidattiche, individuate e classificate a seguito di un approfondito studio metodologico, che consentono di svolgere le attività di classe vagliandole fra una gamma varia e diversificata di procedure applicative.

A tale scopo preme mantenere distinte le accezioni dei termini *tecnica* e *attività* che, per quanto fra loro speculari, sono (stati) a volte utilizzati in maniera ambigua e piuttosto confusa. Parlando di *attività* ci si riferisce agli specifici atti didattici svolti (solitamente) in classe e finalizzati ad acquisire competenze sulla base di obiettivi, linguistici e comunicativi, ben determinati. Ricorrendo al termine *tecnica* si vuole invece rendere conto delle varie modalità con cui tali atti didattici vengono somministrati agli studenti e da essi gestiti sotto la guida, più o meno rilevante ed esplicita, del facilitatore. È stato così possibile distinguere tecniche di tipo controllato, tecniche di tipo guidato e tecniche di tipo libero.

Delle *tecniche controllate* fanno parte l'abbinamento, il riordino, l'individuazione, la selezione, la sostituzione, il completamento, la correzione, la trascrizione, la lettura focalizzata, l'ascolto analitico, la drammatizzazione e gli automatismi linguistici (non presenti in questo volume). Si tratta di tecniche che permettono di svolgere attività confluenti verso soluzioni univoche ed uguali per tutti gli studenti e che sono focalizzate su un uso codificato della grammatica, nelle sue strutture ed usi. Per questa loro specificità, sono particolarmente adatte a sviluppare nell'apprendente competenze di tipo linguistico.

Nelle *tecniche guidate* rientrano invece l'integrazione, la trasformazione, l'espansione, la restrizione (non presente in questo volume), l'interpretazione, la mediazione (non presente in questo volume), la lettura attiva e l'ascolto attivo. Queste tecniche permettono di svolgere, in maniera piuttosto elastica, attività le cui soluzioni possono essere varie, se non nei contenuti, almeno nella loro struttura e sono adatte a sviluppare nell'apprendente competenze in parte linguistiche e in parte comunicative.

Fra le *tecniche libere*, infine, si inseriscono la transcodifica, la composizione (scritta), l'esposizione (orale), la lettura autentica e l'ascolto rilassato. Tali tecniche sono strutturate in modo da permettere agli studenti di svolgere le varie attività proposte organizzando, nel modo che ritengono più opportuno, le competenze linguistico-comunicative che possiedono. Gli esiti sono pertanto non prevedibili e ognuno diverso dall'altro per struttura e contenuti. Per questa loro caratteristica, le tecniche libere sono particolarmente adatte a sviluppare nell'apprendente abilità prevalentemente di tipo comunicativo.

Tecniche e attività rappresentano quindi le due facce di una stessa medaglia visto che le prime possono essere tradotte in strumenti glottodidattici proprio attraverso le seconde.

Per quanto riguarda la veste grafica, *Centro!* si presenta come un quaderno operativo sul quale ciascun apprendente possa lasciare traccia tangibile non solo del suo sapere ma anche, e soprattutto, del suo saper fare. A tale fine sono stati predisposti opportuni spazi per lo svolgimento di tutte le attività didattiche, oltre a numerose tabelle in cui sono messi in evidenza i fenomeni grammaticali presentati nel volume.

Affianco al nome di ciascuna tecnica, sono poi indicati uno o due pallini che indicano il grado di difficoltà di una determinata attività: un pallino (●) per le attività più semplici e due pallini (●●) per quelle leggermente più complesse. In questo modo l'insegnante potra decidere quale sia l'attività più adatta ai propri studenti. I quaderni operativi di *Centro!* traggono infatti i loro presupposti metodologici dalla consapevolezza che ogni classe è inevitabilmente composta da studenti con stili cognitivi diversificati, tempi diversi di apprendimento e livelli di competenza mai perfettamente omogenei né omogeneizzabili e si adattano quindi bene alle C.A.D. (Classi ad Abilità Differenziate), che catalizzano con intensità sempre crescente l'attenzione dei metodologi e degli insegnanti poiché rappresentano una sfida stimolante e uno dei traguardi più ambìti della didattica moderna. Il buon insegnante, quindi, deve tenere conto delle capacità peculiari dei suoi studenti ed essere sufficientemente abile e sensibile da assegnare a ciascuno l'attività più confacente.

Da questa prospettiva, *Centro!* può allora rappresentare un valido strumento di supporto alle sopraggiunte esigenze didattiche delle C.A.D. e aiutare l'insegnante a gestire una situazione tanto delicata e complessa quanto altamente formativa, permettendogli di scegliere, fra le tante proposte, le attività che ritiene più adatte ai suoi studenti. Per aiutarlo a orientarsi in queste sue scelte operative viene fornito anche il seguente schema in cui sono indicate, attraverso appositi simboli, le abilità principali – e fra parentesi anche quelle secondarie o indirette – che ciascuna tecnica permette di esercitare e sviluppare negli apprendenti attraverso lo svolgimento delle varie attività di classe: comprensione scritta (🗎), produzione scritta (✎), comprensione orale (👂), produzione orale (🗣).

TIPI DI TECNICHE		Abilità			
		🗎	✎	👂	🗣
Abbinamento	CONTROLLATE	✓		✓	
Riordino	CONTROLLATE	✓			
Individuazione	CONTROLLATE	✓		✓	
Selezione	CONTROLLATE	✓			
Sostituzione	CONTROLLATE	(✓)	✓	✓	(✓)
Completamento	CONTROLLATE	(✓)	✓		(✓)
Correzione	CONTROLLATE	(✓)	✓		(✓)
Trascrizione	CONTROLLATE		✓	✓	
Lettura focalizzata	CONTROLLATE	✓			
Ascolto analitico	CONTROLLATE			✓	
Drammatizzazione	CONTROLLATE	(✓)		✓	✓
Automatismi	CONTROLLATE	(✓)	(✓)	✓	✓
Integrazione	GUIDATE	✓	✓		✓
Trasformazione	GUIDATE	(✓)	✓		
Espansione	GUIDATE		✓		(✓)
Restrizione	GUIDATE	✓	✓		(✓)
Interpretazione	GUIDATE			✓	✓
Mediazione	GUIDATE	✓		✓	✓
Lettura attiva	GUIDATE	✓	(✓)		
Ascolto attivo	GUIDATE		(✓)	✓	(✓)
Transcodifica	LIBERE	✓	✓	✓	✓
Composizione	LIBERE		✓		
Esposizione	LIBERE				✓
Lettura autentica	LIBERE	✓			
Ascolto rilassato	LIBERE			✓	

Centro! 1 viene completato da un CD audio, contenente i testi di ascolto di ciascuna unità.

Disponibili sul sito www.edilingua.it, le chiavi delle attività realizzate con tecniche che prevedono risposte univoche (individuazione, abbinamento, sostituzione, completamento, selezione, correzione, riordino, trascrizione, lettura focalizzata, ascolto analitico) e, laddove possibile, quelle delle attività realizzate con tecniche che non prevedono risposte univoche (integrazione, transcodifica, lettura attiva, ascolto attivo, drammatizzazione).

Nella speranza che *Centro!* riesca ad essere di aiuto ai colleghi che in Italia e all'estero si impegnano con tenacia, pazienza e professionalità a portare avanti il difficile compito di aiutare ad apprendere l'Italiano a chi italiano non è, gli autori ringraziano quanti vorranno servirsene e augurano...

Buon lavoro.

Indice

Presentazione pag. 3

Indice pag. 5

Contenuti comunicativi e lessicali	Contenuti grammaticali	Tecniche	Attività

Unità 1 – Classificare le parole

pag. 9

- riconoscere e classificare oggetti d'uso quotidiano
- oggetti per la scuola
- mezzi di trasporto
- animali
- luoghi e monumenti
- parti del corpo
- principali pasti della giornata
- alcune professioni
- capi di abbigliamento
- la casa
- famiglia e nomi di parentela
- numeri cardinali

Tabella 1: nomi del I gruppo
Tabella 2: nomi del II gruppo
Tabella 3: nomi invariabili
Tabella 4: articoli determinativi
Tabella 5: derivazione del femminile
Tabella 6: particolarità di alcuni nomi

Tecniche	Attività
abbinamento	2, 5, 7, 8
ascolto analitico	16
ascolto rilassato	15
completamento	9, 14, 17, 18
composizione	33
correzione	11, 13
esposizione	34
individuazione	1, 4, 32
lettura attiva	20, 29
lettura autentica	19, 28
lettura focalizzata	21, 30
riordino	25
selezione	10, 24
sostituzione	3, 6, 22
transcodifica	12, 23, 26, 31
trascrizione	27

Unità 2 – Descrivere se stessi e gli altri

pag. 27

- presentarsi
- descrivere oggetti
- descrivere persone fisicamente e caratterialmente
- esprimere sensazioni, stati d'animo e stati fisici
- chiedere ed esprimere l'ora
- fare conoscenza
- dire e chiedere l'età

Tabella 7: presente indicativo dei verbi *essere* e *avere*
Tabella 8: aggettivi dimostrativi *questo* e *quello*
Tabella 9: ci locativo (*c'è / ci sono*)

Tecniche	Attività
abbinamento	2, 3, 4, 7
ascolto analitico	27
ascolto attivo	26
ascolto rilassato	25
completamento	5, 6, 8, 10
composizione	31, 32
correzione	19
drammatizzazione	18
espansione	28, 33
individuazione	1, 9, 11
integrazione	12, 14
lettura attiva	23
lettura autentica	22
lettura focalizzata	24
riordino	13
selezione	15, 16, 17
sostituzione	20
transcodifica	29, 30
trascrizione	21

Unità 3 – Qualificare persone e cose

pag. 44

- qualificare oggetti, luoghi e persone
- chiedere ed esprimere nazionalità e provenienza
- descrivere persone fisicamente e caratterialmente
- riconoscere e indicare i giorni della settimana e i mesi dell'anno
- aggettivi di nazionalità
- cibo e bevande
- colori
- numeri ordinali

Tabella 10: articoli indeterminativi
Tabella 11: articoli partitivi
Tabella 12: aggettivi del I gruppo;
Tabella 13: aggettivi del II gruppo
Tabella 14: particolarità di nomi e aggettivi

Tecniche	Attività
abbinamento	1, 2, 9, 11
ascolto analitico	36, 37, 40
ascolto attivo	35, 39
ascolto rilassato	34, 38
completamento	3, 5, 13, 14
composizione	43
correzione	26
esposizione	44
individuazione	4, 6, 7, 8, 18
integrazione	15
lettura attiva	28, 32
lettura autentica	27, 31
lettura focalizzata	29, 33
riordino	20, 22, 23, 41
selezione	19
sostituzione	10, 12, 16, 17, 25
transcodifica	21, 24, 42
trascrizione	30

Contenuti comunicativi e lessicali	Contenuti grammaticali	Tecniche	Attività

Unità 4 – Parlare di oggi — pag. 67

Contenuti comunicativi e lessicali

- parlare di azioni e fatti abituali
- esprimere azioni in fase di svolgimento
- esprimere volontà, desiderio, necessità, possibilità, capacità
- chiedere informazioni e fornire risposte
- esprimere desideri e chiedere in modo gentile
- le professioni

Contenuti grammaticali

Tabella 15:	verbi regolari
Tabella 16:	principali verbi irregolari
Tabella 17:	presente progressivo (presente indicativo di *stare* + *gerundio*)
Tabella 18:	verbi modali (*dovere*, *volere*, *potere*, *sapere*)
Tabella 19:	coniugazione regolare dei verbi riflessivi
Tabella 20:	presente con significato futuro

Tecniche	Attività
abbinamento	4, 5, 6, 7, 8
ascolto analitico	43
ascolto attivo	42
ascolto rilassato	41
completamento	2, 11, 12, 13, 15, 16
composizione	44, 45
correzione	25
drammatizzazione	28
espansione	22
esposizione	46
individuazione	1, 3, 9, 14, 26, 27, 30
integrazione	19, 20, 21
interpretazione	36
lettura attiva	39
lettura autentica	38
lettura focalizzata	40
riordino	23, 24
selezione	10, 17, 18
sostituzione	31, 32, 33, 34, 35
transcodifica	29
trascrizione	37

Unità 5 – Unire parole e frasi — pag. 96

Contenuti comunicativi e lessicali

- collocare nello spazio oggetti o persone
- esprimere relazioni di causa/effetto, lo scopo e il fine di un'azione
- negozi e luoghi pubblici

Contenuti grammaticali

Tabella 21:	preposizioni semplici
Tabella 22:	preposizioni articolate
Tabella 23:	preposizioni improprie
Tabella 24:	locuzioni preposizionali
Tabella 25:	congiunzioni

Tecniche	Attività
abbinamento	1, 3, 6, 15
ascolto analitico	27
ascolto attivo	26
completamento	4, 5, 7, 8, 16
composizione	25, 28
correzione	13, 17
esposizione	29, 30
individuazione	2, 14, 18
integrazione	19, 20
lettura attiva	23
lettura autentica	22
lettura focalizzata	24
selezione	9, 11
transcodifica	10, 12
trascrizione	21

Unità 6 – Informare e informarsi — pag. 114

Contenuti comunicativi e lessicali

- esprimere possesso
- parlare della propria famiglia
- parlare delle proprie amicizie
- esprimere preferenze
- chiedere e dare informazioni
- negoziare un affitto
- prenotare una camera
- parlare di vacanze
- caratterizzare persone
- esprimere stati d'animo

Contenuti grammaticali

Tabella 26:	aggettivi possessivi
Tabella 27:	aggettivi e pronomi interrogativi ed esclamativi
Tabella 28:	pronomi e aggettivi indefiniti

Tecniche	Attività
abbinamento	2, 10, 17
ascolto analitico	31,34
ascolto attivo	30, 33
ascolto rilassato	29, 32
completamento	3, 11, 18
composizione	8, 15, 21
correzione	23
drammatizzazione	7
espansione	35
esposizione	36
individuazione	1, 9, 16, 24
integrazione	14
lettura attiva	27
lettura autentica	26
lettura focalizzata	28
riordino	22
selezione	4, 5, 12, 19
sostituzione	6, 13, 20
trascrizione	25

Contenuti comunicativi e lessicali	Contenuti grammaticali	Tecniche	Attività

Unità 7 – Raccontare ieri — pag. 131

Contenuti comunicativi e lessicali

- riferire azioni ed eventi compiuti nel passato
- raccontare esperienze passate
- esprimere fatti conclusi nel passato
- informare su avvenimenti passati
- esprimere fatti conclusi nel passato con effetti sul presente
- chiedere per conoscere avvenimenti passati
  - esprimere fatti conclusi nel passato con effetti sul presente
  - esprimere volontà
  - necessità e possibilità in riferimento a fatti passati

Contenuti grammaticali

- Tabella 29: passato prossimo con ausiliare *avere*
- Tabella 30: passato prossimo con ausiliare *essere*
- Tabella 31: passato prossimo dei verbi *riflessivi*
- Tabella 32: *participi passati* irregolari
- Tabella 33: passato prossimo dei verbi modali uniti ad altri verbi

Tecniche	Attività
abbinamento	2, 4, 6, 7, 8, 9
ascolto analitico	30, 40
ascolto attivo	39
ascolto rilassato	38
completamento	12, 14, 15, 16
composizione	44, 45
correzione	27, 28
drammatizzazione	25, 26
espansione	43
esposizione	46
individuazione	1, 3, 5, 10, 11,13, 29
integrazione	17, 18, 19
interpretazione	41, 42
lettura attiva	36
lettura autentica	35
lettura focalizzata	37
riordino	20, 21
selezione	22, 24
sostituzione	23, 31
transcodifica	32, 33
trascrizione	34

Unità 8 – Riferirsi a persone e cose — pag. 156

Contenuti comunicativi e lessicali

- riferire azioni/eventi in svolgimento o avvenute nel passato e già concluse
  - informare sulle proprie abitudini

Contenuti grammaticali

- Tabella 34: pronomi personali soggetto
- Tabella 35: pronomi personali riflessivi
- Tabella 36: verbi modali con i pronomi personali riflessivi
- Tabella 37: pronomi diretti e pronome partitivo *ne*
- Tabella 38: verbi modali con i pronomi diretti e il partitivo *ne*
- Tabella 39: accordo dei pronomi diretti e del partitivo *ne* con il participio passato

Tecniche	Attività
abbinamento	8, 11
ascolto analitico	24, 27
ascolto attivo	23, 26
ascolto rilassato	22, 25
completamento	2, 12
composizione	19, 28
correzione	18
esposizione	29
individuazione	1, 3, 6, 7, 15
integrazione	9, 13, 14
lettura attiva	20
lettura focalizzata	10, 21
sostituzione	5, 17
transcodifica	4, 16

Unità 9 – Ricordare ieri — pag. 175

Contenuti comunicativi e lessicali

- descrivere situazioni passate
- descrivere persone
- cose e luoghi collocati nel passato
- descrivere stati fisici e stati d'animo in situazioni passate
- riferire di avvenimenti passati visti nel loro compiersi
  - riferire di abitudini passate
  - esprimere desideri riconducibili a situazioni passate
  - parlare di cambiamenti e confrontare le epoche
  - ricordare situazioni persone e luoghi

Contenuti grammaticali

- Tabella 40: imperfetto dei verbi regolari
- Tabella 41: imperfetto dei verbi irregolari
- Tabella 42: imperfetto progressivo (imperfetto indicativo di *stare* + *gerundio*)

Tecniche	Attività
abbinamento	3, 4
ascolto analitico	19, 28
ascolto attivo	27
ascolto rilassato	26
completamento	5, 9
composizione	30, 31
espansione	29
esposizione	32
individuazione	1, 2, 13, 16, 18
integrazione	11, 14
lettura attiva	24
lettura autentica	23
lettura focalizzata	17, 25
riordino	12, 15
selezione	10
sostituzione	6, 7, 8
transcodifica	20, 21
trascrizione	22

Contenuti comunicativi e lessicali	Contenuti grammaticali	Tecniche	Attività

Unità 10 – Riferirsi a persone, cose e luoghi pag. 191

- esprimere gradimento
- descrivere azioni
- scrivere una lettera informale e formale
- chiedere per sapere
- chiedere per avere
- riferire impressioni soggettive
- formulare un invito in maniera informale e formale
- chiedere consigli e opinioni
- informare su oggetti e luoghi
- esprimere desideri

Tabella 43: pronomi indiretti
Tabella 44: verbi modali con i pronomi indiretti
Tabella 45: il verbo *piacere* al presente
Tabella 46: il verbo *piacere* al passato
Tabella 47: pronomi con preposizione
Tabella 48: *ci* particella di luogo

Tecniche	Attività
abbinamento	2
ascolto analitico	25, 28
ascolto attivo	24, 27
ascolto rilassato	23, 26
completamento	3, 10
composizione	30
correzione	9
drammatizzazione	5, 13
esposizione	29
individuazione	1, 17, 22
integrazione	7, 12
lettura attiva	20
lettura autentica	19
lettura focalizzata	21
selezione	16
sostituzione	11, 14, 15
transcodifica	8
trascrizione	18
trasformazione	4, 6

Trascrizioni brani audio **pag. 207**

Indice CD audio **pag. 214**

Classificare le parole: nomi e articoli determinativi

Tabella 1. Osserviamo

I NOMI 1° gruppo			
maschile singolare	maschile plurale	femminile singolare	femminile plurale
ragazzo	ragazzi	ragazza	ragazze
-o →	-i	-a →	-e

Riflettiamo

Quante forme hanno i nomi di questo gruppo?
In cosa sono diverse queste forme l'una dall'altra?

1 Individua il genere (M o F) e il numero (S o P) di ogni nome, come nell'esempio in blu. Individuazione

	M	F	S	P
1. penna	○	✓	✓	○
2. gatto	○	○	○	○
3. albero	○	○	○	○
4. libro	○	○	○	○
5. stelle	○	○	○	○
6. gelati	○	○	○	○
7. vino	○	○	○	○
8. borsa	○	○	○	○
9. francobolli	○	○	○	○
10. mele	○	○	○	○
11. sedie	○	○	○	○
12. astuccio	○	○	○	○

2 ***In classe*. Abbina i nomi al genere giusto, come nell'esempio in blu.** Abbinamento

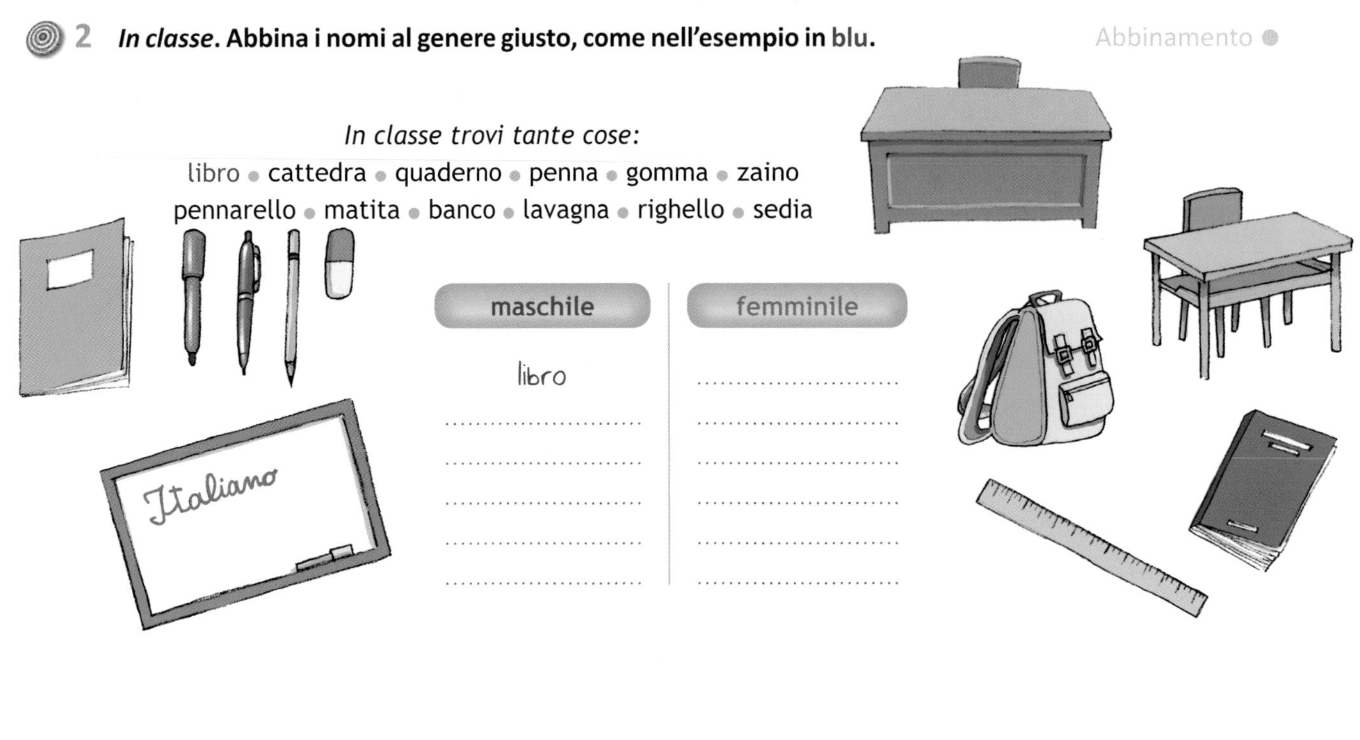

In classe trovi tante cose:
libro • cattedra • quaderno • penna • gomma • zaino
pennarello • matita • banco • lavagna • righello • sedia

maschile	femminile
libro	....
....	....
....	....
....	....
....	....
....	....

3 **Sostituisci il singolare con il plurale dei nomi dell'attività 2, come nell'esempio in blu.** Sostituzione

maschile plurale	femminile plurale
....	....
....	....
....	....
....	....
! banchi	....
....	....

Tabella 2. Osserviamo

I NOMI 2° gruppo			
maschile singolare	maschile plurale	femminile singolare	femminile plurale
giornale	giornali	chiave	chiavi
-e →	-i	-e →	-i

Quante forme hanno i nomi di questo gruppo?
In cosa sono diverse queste forme l'una dall'altra?
In cosa è diverso il 2° gruppo dal 1° gruppo?

i nomi in *-ore*, *-ale*, *-ile* sono maschili;
i nomi in *-sione*, *-zione*, *-gione*, *-trice* sono femminili.

4 Individua il genere (M o F) e il numero (S o P) di ogni nome, come nell'esempio in blu.

Individuazione

	M	F	S	P		M	F	S	P
1. attori	✓	○	○	✓	7. frasi	○	○	○	○
2. pane	○	○	○	○	8. notte	○	○	○	○
3. leoni	○	○	○	○	9. esame	○	○	○	○
4. studenti	○	○	○	○	10. dolce	○	○	○	○
5. sale	○	○	○	○	11. stagione	○	○	○	○
6. cane	○	○	○	○	12. mare	○	○	○	○

5 Abbina i nomi al genere giusto, come nell'esempio in blu.

Abbinamento

spumante

bicchiere

patente

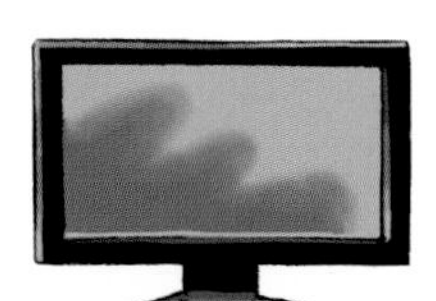
televisore

giornale

fiore

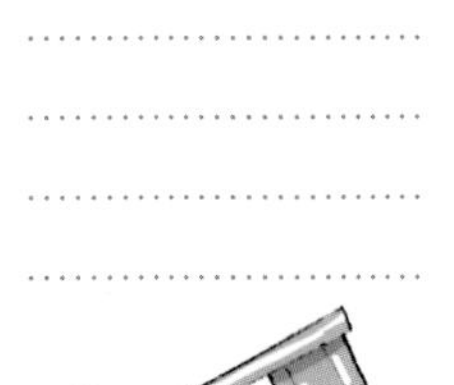
chiave

cane

notte

sapone

calcolatrice

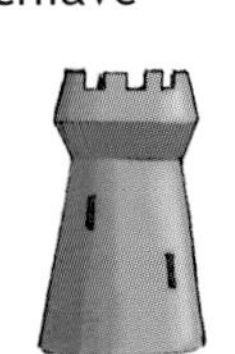
torre

carne

maschile	femminile
spumante	....
....	....
....	....
....	....
....	....
....	....
....	

6 **Sostituisci il singolare con il plurale dei nomi dell'attività 5, come nell'esempio in blu.**

Sostituzione

maschile	femminile
spumanti	....
....	....
....	....
....	....
....	....
....	....
....	

Tabella 3. Osserviamo

I NOMI uguali al singolare e al plurale			
con consonante finale o stranieri	**con accento finale**	**di una sola sillaba**	**abbreviati**
film (*m.*) bar (*m.*) sport (*m.*)	università (*f.*) città (*f.*) caffè (*m.*)	re (*m.*) blu (*m.*) sci (*m.*)	foto(grafia/e) (*f.*) bici(cletta/e) (*f.*) metro(politana/e) (*f.*)

Tabella 4. Osserviamo

GLI ARTICOLI DETERMINATIVI				
		singolare		**plurale**
maschile	**il**	quaderno, libro, signore	**i**	quaderni, libri, signori
	lo	studente, zaino, psicologo, gnomo, yogurt	**gli**	studenti, zaini, psicologi, gnomi, yogurt
	l'	attore		attori
femminile	**la**	matita, gomma, chiave	**le**	matite, gomme, chiavi
	l'	aula		aule

Con l'aiuto dell'insegnante cerca di capire qual è la regola degli **articoli determinativi** italiani.

7 ***Buon appetito!*** **Abbina ogni nome all'articolo giusto e all'immagine corrispondente, come nell'esempio in blu.**

Abbinamento

zucchero • caramelle
limone • birra • miele
spaghetti • acqua
panino • olio • biscotti

1 il panino

2 ....

3 ....

4 ....

5 ....

6 ....

7 ....

8 ....

9 ....

10 ....

il	panino
lo	
l' (*m.*)	
l' (*f.*)	
la	
i	
gli	
le	

8 ***I mezzi di trasporto*. Abbina ogni mezzo di trasporto all'articolo giusto e all'immagine corrispondente, come nell'esempio in blu.**

Abbinamento

1 il treno

2 ....

3 ....

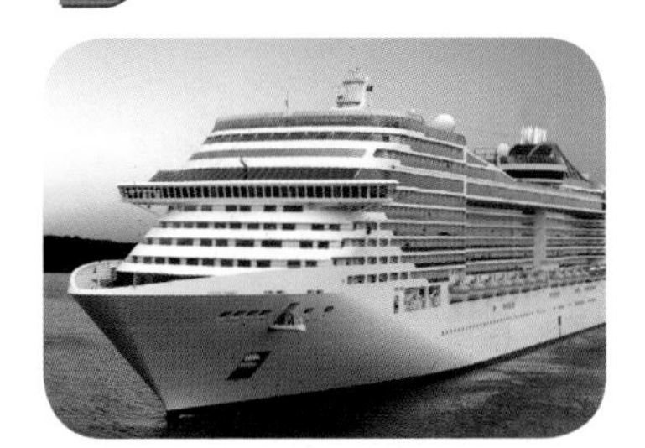

4 ....

aereo • autobus • nave • tram
treno • taxi • scooter
automobile • barca • bicicletta
metropolitana • elicottero

5 ....

6 ....

7 ....

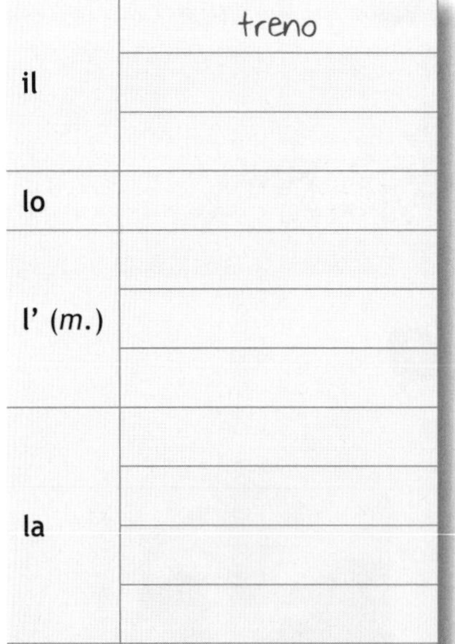

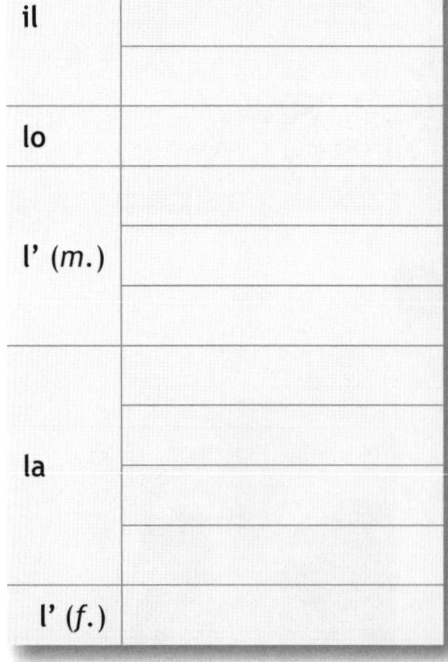

il	treno
lo	
l' (*m.*)	
la	
l' (*f.*)	

8 ....

9 ....

10 ....

11 ....

12 ....

9 ***Allo zoo.*** **Completa ogni parola con l'articolo determinativo corretto, come nell'esempio in blu.** Completamento ●

1. il leone

10. .... pantera
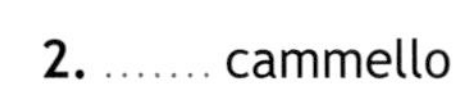
2. .... cammello

11. .... tigri

3. .... elefanti

12. .... scimmia

4. .... ippopotamo

13. .... giraffa
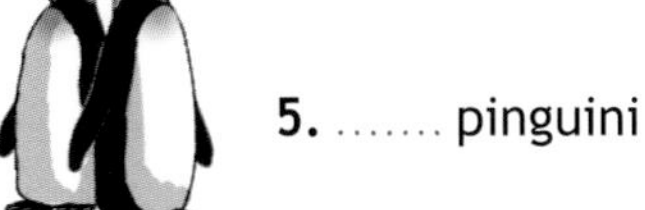
5. .... pinguini

14. .... foche

6. .... serpenti

15. .... zebre

7. .... coccodrillo

16. .... volpi

8. .... lupi
17. .... aquila

9. .... orso
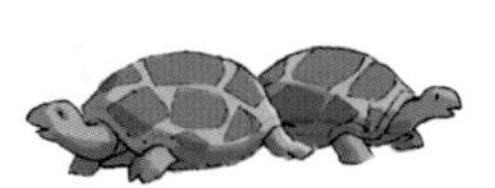
18. .... tartarughe

10 **Inserisci nel testo i nomi dati, come nell'esempio in blu.**

Selezione ●●

giorni • amici • paese • campeggi • vacanza • soldi • viaggio • albergo • agenzia • informazioni

Un gruppo di amici (1) decide di andare in .... (2) insieme. Sono tutti d'accordo di andare all'estero, ma non sanno ancora in quale .... (3). Invece di andare in un'........................ (4) di viaggi, cercano su Internet tutte le .... (5) utili per organizzare il .... (6): 2 settimane nel Sud della Spagna, in Andalusia. Vanno in macchina e pensano di rimanere anche alcuni .... (7) in Francia prima di entrare in Spagna e andare a Granada, Malaga, Siviglia ecc. Non hanno molti .... (8), quindi non prenotano delle camere in un .... (9), ma prendono, sempre su Internet, gli indirizzi di alcuni .... (10) francesi e spagnoli.

11 ***Monumenti d'Italia*. Correggi gli articoli sbagliati, come nell'esempio in blu.** Correzione ●

~~Lo~~ Il Colosseo (Roma)

La .... Basilica di San Pietro (Vaticano)

Gli .... Trulli (Alberobello)

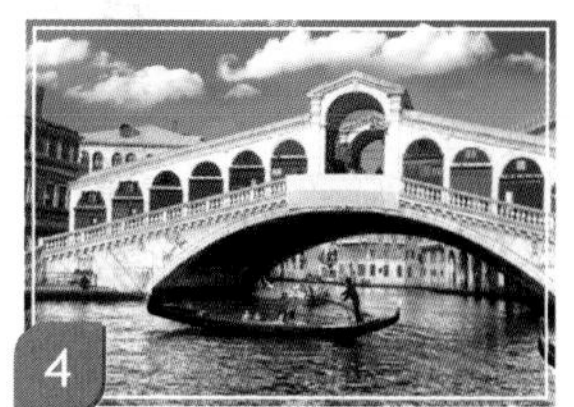

Il .... Ponte di Rialto (Venezia)

Lo .... Palazzo dei Priori (Perugia)

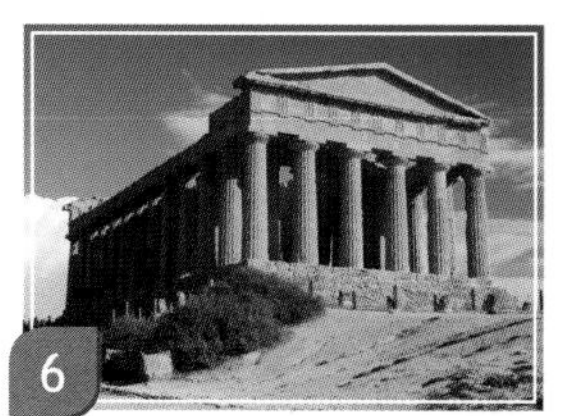

Lo .... Tempio della Concordia (Agrigento)

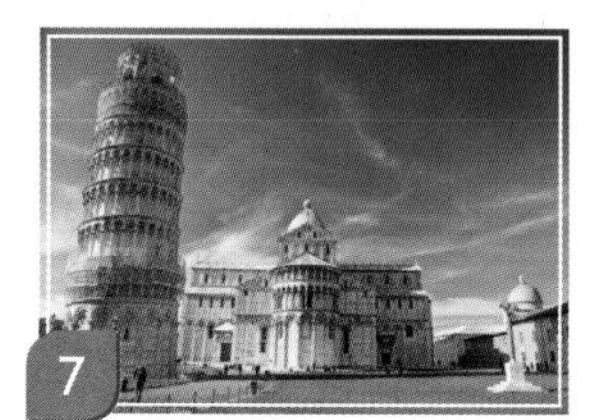

Il .... Torre di Pisa

Il .... Reggia di Caserta

Il .... Palazzo Vecchio (Firenze)

Lo .... Castello Estense (Ferrara)

Il .... Maschio Angioino (Napoli)

Il .... Duomo di Milano

12 ***Il corpo umano.* Osserva la statua e scrivi le parti del corpo, come nell'esempio in blu.** Transcodifica ●●

Il *David* di Michelangelo, Galleria dell'Accademia di Firenze

1. ....
2. .... *
3. ....
4. ....
5. ....
6. la mano *
7. .... *
8. ....
9. ....
10. ....
11. ....
12. ....
13. .... *
14. ....

*mano è un nome femminile: *la mano - le mani*. Alcuni nomi sono maschili al singolare e femminili al plurale: *l'orecchio - le orecchie* (ma anche *gli orecchi*), *il braccio - le braccia, il dito - le dita, il ginocchio - le ginocchia* (ma anche *i ginocchi*).

13 Correggi gli articoli sbagliati, come nell'esempio in blu. Correzione

1. lo viso il viso
2. i occhi ....
3. il naso ....
4. il orecchie ....
5. la bocca ....
6. i capelli ....
7. le denti ....
8. lo braccio ....
9. i ginocchio ....
10. i mani ....
11. il dito ....
12. le piedi ....
13. la testa ....
14. il lingua ....

La Nascita di Venere (particolare) di Sandro Botticelli, Galleria degli Uffizi Firenze

14 *Che strani gli uomini!* Completa il testo con le parti del corpo, come nell'esempio in blu. Completamento

Noi e gli uomini non siamo poi così diversi. Anche loro, come noi cani, hanno due occhi (1) per vedere, due .... (2) per ascoltare e un .... (3) per sentire gli odori, ma noi sentiamo odori anche molto lontani. Gli uomini hanno nella bocca i .... (4) per mangiare ma i nostri sono molto più appuntiti. Inoltre, hanno due .... (5) per fare tante cose e due .... (6) per camminare. Noi invece abbiamo quattro zampe; più facile, no? Loro hanno due .... (7) per scrivere, lavorare e costruire tante cose, belle e brutte. In più hanno dei peli sulla testa che si chiamano .... (8) e non hanno la coda... Proprio strani questi uomini!

15 1 Ascolta il testo *Il mio gatto* e riferisci alla classe cosa hai capito. Ascolto rilassato

16 1 Ascolta il testo *Il mio gatto* (15) e scrivi i nomi sotto la colonna giusta, come nell'esempio in blu. Ascolto analitico

Parti del corpo	Cibo	Casa
zampe	....	....
....	....	....
....	....	....
....	....	....
....	....	....
....	....	....

17 ***La mia casa.* Completa il testo con gli articoli determinativi, come nell'esempio in blu.** Completamento

La (1) mia casa non è molto grande ma è carina. Ha .... (2) cucina, ... (3) soggiorno, ... (4) camera da letto, ... (5) bagno e due balconi. Nella cucina ci sono .... (6) macchina del gas, ... (7) frigorifero, ... (8) tavolo e .... (9) sedie. Nel soggiorno ci sono .... (10) divano e .... (11) mobile per .... (12) televisore e .... (13) stereo. In camera da letto ci sono .... (14) letto, ... (15) armadi e .... (16) libreria. .... (17) bagno non è grande ma ha .... (18) finestra e invece della vasca ha .... (19) doccia. In un balcone, infine, ci sono .... (20) piante e anche .... (21) tavolino e .... (22) sedie di plastica così, quando fa bel tempo, posso andare fuori a parlare con .... (23) amici o a vedere .... (24) gente che passa.

18 ***Come mangiano gli italiani?* Completa il testo con gli articoli determinativi, come nell'esempio in blu.** Completamento

La (1) colazione è il primo pasto della giornata. In genere .... (2) italiani fanno colazione tra .... (3) 7.00 e .... (4) 8.00 a casa. Di solito mangiano .... (5) biscotti e bevono .... (6) latte, ... (7) caffè o .... (8) tè. Alcuni mangiano .... (9) yogurt o .... (10) cereali. È normale mangiare anche .... (11) fette biscottate o .... (12) pane con .... (13) marmellata. Alcuni fanno colazione al bar con .... (14) cappuccino e .... (15) cornetto. Poi abbiamo .... (16) pranzo fra .... (17) 12.30 e .... (18) 14.00. Alcuni italiani pranzano alla mensa, in ufficio oppure al bar. Quelli che invece pranzano a casa, di solito mangiano .... (19) pasta, poi per secondo .... (20) carne o .... (21) pesce e .... (22) contorno. Infine mangiano .... (23) frutta. Dopo pranzo è normale bere .... (24) caffè. .... (25) cena è un pasto importante perché tutta .... (26) famiglia è a casa e mangia insieme fra .... (27) 8 e .... (28) 9 di sera.

19 **Dopo aver svolto l'attività 18, riferisci alla classe cosa hai capito.** Lettura autentica

20 **Dopo aver svolto l'attività 18, rispondi alle domande o completa le frasi.** Lettura attiva

1. Cosa mangiano gli italiani la mattina? ....
2. Quando bevono il cappuccino gli italiani? ....
3. Dove mangiano gli italiani a pranzo? ....
4. Dopo pranzo di solito bevono ....

5. Chi mangia insieme la sera? ....

6. I pasti degli italiani sono ....

➲ **Ora fai tu una domanda a un tuo compagno di classe.**

21 Dopo aver svolto l'attività 18, inserisci i nomi dei cibi e delle bevande nella giusta colonna, come nell'esempio in blu. Lettura focalizzata

maschile singolare	maschile plurale	femminile singolare	femminile plurale
....	i biscotti	....	....
....	....	....	....
....	....	....	....
....	....	....	....
....	....	....	....
....	....	....	....
....	....	....	....
....	....	....	....
....	....	....	....

Tabella 5. Osserviamo

I NOMI
dal maschile al femminile

maschile		femminile		maschile		femminile	
il ragazzo l'amico il gatto	-o	la ragazza l'amica la gatta	-a	il signore il cameriere	-e	la signora la cameriera	-a
				il dottore il professore		la dottoressa la professoressa	-essa
				il nipote il coniuge		la nipote la coniuge	-e

Tabella 6. Osserviamo

I NOMI
Particolarità di alcuni NOMI maschili e femminili

maschile		femminile		maschile	femminile
Nomi in -*e*				**Nomi indipendenti**	
l'attore il direttore lo scrittore	**-tore**	l'attrice la direttrice la scrittrice	**-trice**	l'uomo il marito il fratello	la donna la moglie la sorella
il cantante il cliente	**-nte (-ante, -ente)**	la cantante la cliente	**-nte**	il genero il re	la nuora la regina
il francese	**-ese**	la francese	**-ese**	il gallo	la gallina

22 ***Mestieri e professioni*. Sostituisci con il nome delle professioni al femminile per completare le frasi, come nell'esempio.** Sostituzione ●●

1. Il dottore donna è la dottoressa.
2. Il pittore donna è ....
3. Il cameriere donna è ....
4. Il maestro donna è ....
5. Lo scrittore donna è ....
6. L'impiegato donna è ....
7. L'infermiere donna è ....
8. L'attore donna è ....
9. Il cantante donna è ....
10. Il direttore donna è ....
11. Il cuoco donna è ....
12. Il professore donna è ....

23 ***Ogni stagione il suo vestito*. Osserva e scrivi sotto ogni capo d'abbigliamento il suo nome, come nell'esempio.** Transcodifica ●●

1 l'accappatoio
2 ....
3 ....
4 ....

5 ....

6 ....

7 ....

8 ....

9 ....

10 ....

11 ....

12 ....

13 ....

14 ....

15 ....

16 ....

17 ....

18 ....

19 ....

20 ....

24 ***La famiglia e i parenti.*** **Metti l'articolo davanti al nome di parentela, e individua dall'albero genealogico il nome proprio, come nell'esempio in blu.**

Selezione ●

1	La	sorella	di	Daniele	si chiama	Lorena
2		babbo/papà/padre		Paolo		
3		mamma/madre		Lorena		
4		fratello		Daniele		
5		sorella		Paolo		
6		moglie		Carlo		
7		marito		Rosanna		
8		zio		Daniele		
9		zia		Paolo		
10		cugine		Daniele	si chiamano	
11		nonni paterni		Paolo		
12		nonni materni		Lorena		
13		genitori		Lorena		
14		suoceri		Rosanna		
15		figli		Carlo e Rosanna		

25 a. I numeri cardinali. **Metti in ordine i numeri da 1 a 20, come nell'esempio in** blu. Riordino ●

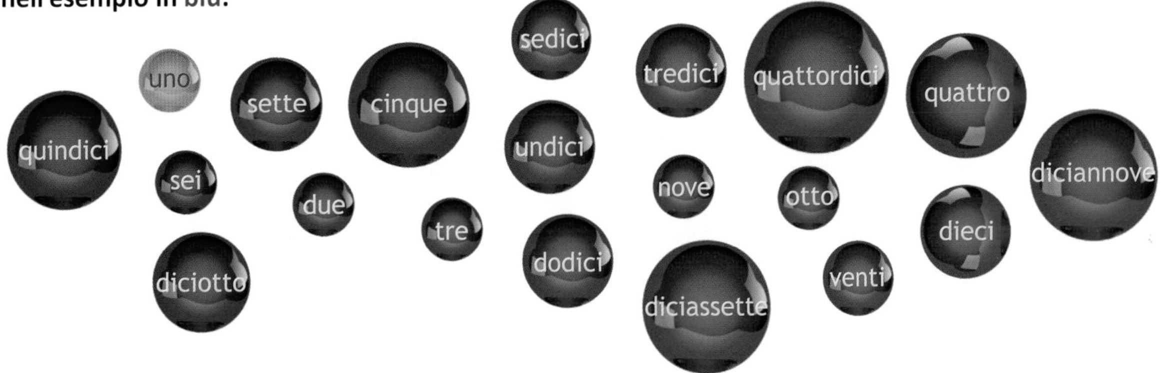

1. uno
2. ....
3. ....
4. ....
5. ....
6. ....
7. ....
8. ....
9. ....
10. ....
11. ....
12. ....
13. ....
14. ....
15. ....
16. ....
17. ....
18. ....
19. ....
20. ....

25 b. I numeri cardinali. **Metti in ordine i seguenti numeri.** Riordino ●●

21. ....
23. ....
28. ....
30. ....
40. ....
50. ....
60. ....
70. ....
80. ....
90. ....
100. ....
1000. ....
2000. ....

26 **Leggi i seguenti** numeri cardinali. Transcodifica ●●

4	7	9	12	16	19	27	35	41	58	65
72	88	93	127	284	525	679	1284	1963	...... (anno attuale)	

27 **2** ***Arriva l'autunno*. Ascolta il testo e trascrivi le parole mancanti, come nell'esempio in blu.** Trascrizione ●●

Quando arriva l'autunno, la gente (1) è un po' triste perché .... (2) sono finite e ritornano il lavoro e .... (3) che sembrano così lontani durante l'estate. .... (4) fa cadere le foglie dagli alberi e .... (5) bagna la terra. .... (6) tramonta presto, ... (7) sono più corte e fa più fresco. Ma l'autunno è anche molto interessante. .... (8) è pieno di tanti colori e di cibi buonissimi, come .... (9) e le castagne, e in campagna .... (10) raccolgono l'uva per fare .... (11). La nebbia ricopre il paesaggio e tutte .... (12) sembrano magiche.

28 **Dopo aver svolto l'attività 27, riferisci alla classe cosa hai capito.** Lettura autentica ●

29 **Dopo aver svolto l'attività 27, rispondi alle domande o completa le frasi.** Lettura attiva ●●

1. Chi è triste quando arriva l'autunno? ....
2. Cosa ritorna in autunno? ....
3. Che cosa cade dagli alberi? ....
4. I cibi caratteristici dell'autunno sono ....
5. Con l'uva i contadini fanno ....

➲ **Ora fai tu una domanda a un tuo compagno di classe.**

30 **Dopo aver svolto l'attività 27, inserisci nella colonna giusta solo i nomi che hanno l'articolo, come nell'esempio in blu.** Lettura focalizzata ●

maschile singolare	maschile plurale	femminile singolare	femminile plurale
l'autunno	....	....	....
....	....	....	....
....	....	....	....
....	....	....	....
....	....	....	....
....	....	....	....
....	....	....	....

31 ***La mia casa*****. Leggi il testo e disegna la casa in base alla sua descrizione.** Transcodifica ●●

La mia casa è molto bella, grande e ha un piano terra e un primo piano. Per entrare al piano terra ci sono tre scalini. Sopra questi scalini c'è un portone che si trova proprio al centro della facciata. A destra e a sinistra del portone ci sono due finestre; ogni finestra ha due vetri. Al primo piano ci sono tre finestre: quella al centro ha solo un vetro; quella di sinistra e quella di destra hanno due vetri. A destra della casa ci sono due alberi alti e a sinistra c'è il giardino con un tavolo e quattro sedie.

32 **Individua il nome giusto per completare le frasi, come nell'esempio in blu.** Individuazione ●

		A	B
1.	Sono grandi queste città.	✓ città	◯ cittè
2.	Sono molto noiosi questi	◯ filmi	◯ film
3.	È molto brava la mia	◯ professoressa	◯ professora
4.	In questo ospedale gli .... sono molto bravi.	◯ infermiere	◯ infermieri
5.	Mi piace molto questa	◯ cantante	◯ cantanta
6.	Sono molto belle le .... d'estate.	◯ notti	◯ notte
7.	Ci sono tre .... sul tavolo.	◯ chiave	◯ chiavi
8.	Sono molto interessanti le .... di informatica.	◯ lezione	◯ lezioni
9.	È veramente gentile questo	◯ camerière	◯ cameriero
10.	Sono molto famose queste	◯ universitè	◯ università

33 **Chiedi a un tuo compagno di dirti 20 parole che conosce e poi metti l'articolo giusto.** Composizione ●

1. ....
2. ....
3. ....
4. ....
5. ....
6. ....
7. ....
8. ....
9. ....
10. ....
11. ....
12. ....
13. ....
14. ....
15. ....
16. ....
17. ....
18. ....
19. ....
20. ....

34 **Fai alcune delle seguenti domande a un tuo compagno di classe e poi rispondi alle sue.** Esposizione ●●

1. Che cosa possiamo trovare in classe?
2. Quali stanze ci sono nella tua casa?
3. Quanto sei alto e quanto pesi?
4. Che cosa indossi adesso?
5. Che cosa indossa il tuo compagno di banco?
6. Che cosa hai nella tua borsa adesso?
7. Che cosa mangi di solito a colazione, a pranzo e a cena?
8. Quante persone ci sono nella tua famiglia e come si chiamano?
9. Puoi nominare cinque parti del corpo?
10. Che mezzo di trasporto usi per andare a scuola o al lavoro?
11. Quanto costa un biglietto dell'autobus o della metropolitana nella tua città?
12. Che cosa c'è nella tua camera da letto?

Descrivere se stessi e gli altri:
essere, avere, esserci e dimostrativi

Tabella 7. Osserviamo

I VERBI *ESSERE* E *AVERE*						
Persona		Essere			Avere	
singolare	io	sono	un ragazzo	una ragazza	ho	30 anni
	tu	sei	simpatico	simpatica	hai	una macchina
	lui	è	impiegato		ha	due figli
	lei			impiegata		
	Lei		professore	professoressa		
plurale	noi	siamo	contenti	contente	abbiamo	un cane
	voi	siete	stranieri	straniere	avete	le chiavi
	loro	sono	amici	amiche	hanno	sete

Riflettiamo In base a cosa cambiano i verbi in italiano?

1 Individua il soggetto per ogni verbo, come nell'esempio in blu. Individuazione

	io	tu	lui/lei/Lei	noi	voi	loro
1. siamo	○	○	○	✓	○	○
2. avete	○	○	○	○	○	○
3. sei	○	○	○	○	○	○
4. hanno	○	○	○	○	○	○
5. sono	○	○	○	○	○	○
6. ha	○	○	○	○	○	○
7. è	○	○	○	○	○	○
8. abbiamo	○	○	○	○	○	○
9. ho	○	○	○	○	○	○
10. siete	○	○	○	○	○	○
11. hai	○	○	○	○	○	○
12. sono	○	○	○	○	○	○

2 Abbina le due colonne, come nell'esempio in blu. Abbinamento ●●

1. La mia macchina	a. sono gialle o rosse.
2. Sei	b. uno studente.
3. Io sono	c. lezione tutti i giorni.
4. Siete	d. sicuri di avere ragione?
5. Le foglie d'autunno	e. è dal meccanico.
6. Il treno	f. è in ritardo.
7. Perché avete	g. hanno un buon profumo.
8. Mio padre	h. studente o lavori?
9. Abbiamo	i. tanta fretta?
10. Questi fiori	l. ha due fratelli.

Abbinamento ●

3 (3) Ascolta le domande e abbinale alle risposte, come nell'esempio in blu.

.... a. Siamo di Milano.
.... b. 26.
.... c. È sul tavolo.
.... d. Alla stazione.
.... e. Ancora due.
1 f. Sono di Roma.
.... g. Sono argentine.
.... h. Le due e un quarto.

4 (4) Ascolta le domande e abbinale alle risposte, come nell'esempio in blu.

.... a. Due.
.... b. Sono un po' triste.
.... c. No, ho una Fiat.
.... d. Siamo qui in vacanza.
.... e. Sì, siamo noi.
1 f. Sì, siamo di Bologna.
.... g. Al primo piano.
.... h. È al bar.

5 Completa i minidialoghi con il verbo essere, come nell'esempio in blu. Completamento ●

a. ➤ Io sono (1) di Madrid. E voi, di dove .... (2)?
■ .... (3) *di Vienna.*
➤ .... (4) veramente una bellissima città.

b. ➤ .... (5) Lei l'ingegner Grandi?
■ *Sì,* .... (6) *io.*
➤ Piacere, ... (7) il dottor Rossi.

c. ➤ Pronto, posso parlare con Chiara?
■ *Sì, chi* .... (8) *che la desidera?*
➤ .... (9) Mario Sereni, un suo compagno di scuola.

d. ➤ Antonio e Salvo .... (10) campani?
■ *Sì,* .... (11) *di Napoli ma abitano a Lucca da 2 anni.*
➤ Davvero? Anch'io .... (12) di Napoli.

e. ➤ Luisa, ... (13) libera questa sera per il cinema?
■ *No, mi dispiace,* .... (14) *fuori città per lavoro.*
➤ Ah ok, ma se .... (15) libera dopodomani, va bene uguale.

6 Completa i minidialoghi con il verbo avere, come nell'esempio in blu.

Completamento

a. ➤ Avete (1) due singole per stasera?
■ *No,* .... (2) *solo una doppia.*
➤ La doppia .... (3) il bagno?
■ *Sì, certo,* .... (4) *anche l'aria condizionata.*
➤ Allora va bene anche la doppia.

b. ➤ Quanti anni .... (5) Lucia e Piero?
■ *Lucia* .... (6) *24 anni e Piero 26.*
➤ Anche mio fratello .... (7) 24 anni.

c. ➤ Io .... (8) una sorella e un fratello, e tu?
■ *Io* .... (9) *due sorelle.*
➤ Anche Marisa .... (10) solo sorelle.

d. ➤ Carla, Luana, ... (11) una casa al mare?
■ *Sì,* .... (12) *una casa vicino a Lecce, anche tu?*
➤ No, io .... (13) una casa in montagna, mi piace di più.

e. ➤ Fabio, ... (14) il numero di telefono di Paolo?
■ *No, mi dispiace. Però* .... (15) *quello di sua sorella.*
➤ Va bene, lei sicuramente .... (16) il numero del fratello.

Tabella 8. Osserviamo

I DIMOSTRATIVI *QUESTO* E *QUELLO*

	maschile				femminile			
singolare	il	questo	quel	ragazzo	la	questa	quella	ragazza studentessa
	lo	questo	quello	studente				
	l'	questo/quest'	quell'	amico	l'	questa/quest'	quell'	amica
plurale	i	questi	quei	ragazzi	le	queste	quelle	ragazze amiche studentesse
	gli	questi	quegli	studenti amici				

7 Abbina le due colonne, come nell'esempio in blu.

Abbinamento

1. Questo libro
2. Quel ragazzo
3. Questi posti
4. Quel telefonino in vetrina
5. Questo vino
6. Quella signora
7. Quegli studenti
8. Queste scarpe da ginnastica
9. Questi discorsi
10. Quell'appartamento

a. è leggero e frizzante.
b. ha quattro stanze.
c. è impiegata in banca.
d. hanno poco senso.
e. sono tutte sporche.
f. è molto interessante.
g. sono liberi o occupati?
h. ha anche la fotocamera?
i. è originario dell'Argentina.
l. sono cinesi.

8 ***Braccobaldo*. Completa il testo con i verbi essere o avere, come nell'esempio in blu.** Completamento ●●

Braccobaldo è (1) un personaggio dei cartoni animati. .... (2) un cane molto simpatico e .... (3) un modo di parlare un po' strano. .... (4) sempre molto tranquillo e allegro e .... (5) l'aria un po' ingenua, ma in realtà .... (6) molto furbo. Questo cane .... (7) tutto blu, ma la punta della coda, delle orecchie e il naso .... (8) neri. .... (9) un bel cravattino rosso al collo e un cappellino in testa, mentre non ha né scarpe né guanti. I cartoni animati di Braccobaldo .... (10) sempre molto divertenti.

9 **Dopo aver svolto l'attività 8, individua le risposte giuste.** Individuazione ●●

	A	B
1. Braccobaldo	◯ è un cane vero	◯ è un cane inventato
2. Dal suo aspetto sembra	◯ molto furbo	◯ un po' stupido
3. Braccobaldo è di colore	◯ blu	◯ blu e nero
4. Fra i suoi vestiti ci sono	◯ cravattino e scarpe	◯ cravattino e cappellino
5. I cartoni animati di Braccobaldo sono	◯ simpatici	◯ noiosi

10 ***Pinocchio*. Completa il testo con i verbi essere o avere, come nell'esempio in blu.** Completamento ●●

Pinocchio è (1) una marionetta di legno famosa in tutto il modo che si comporta come un bambino vero. Infatti, come tutti i bambini, Pinocchio .... (2) molto curioso e non .... (3) voglia di andare a scuola ma .... (4) anche molto buono e sensibile. In testa porta un cappello rosso e anche la sua giacchetta .... (5) rossa. I pantaloncini e il fiocco, invece, ... (6) verdi, mentre la maglietta .... (7) bianca. La cosa più strana di Pinocchio .... (8) il naso appuntito che diventa lungo quando non .... (9) sincero e dice le bugie. Pinocchio .... (10) un sogno: diventare, un giorno, un bambino vero.

11 **Dopo aver svolto l'attività 10, individua le risposte giuste.** Individuazione ●●

	A	B
1. Pinocchio	◯ è una marionetta	◯ è un bambino
2. Pinocchio	◯ è curioso e ama la scuola	◯ è sensibile e non ama la scuola

	A	B
3. Fra i suoi vestiti ci sono	◯ giacchetta rossa e fiocco verde	◯ cappello rosso e giacchetta verde
4. Il naso di Pinocchio	◯ è a punta	◯ è rotondo
5. Se Pinocchio non dice la verità	◯ il suo naso diventa più corto	◯ il suo naso diventa più lungo

Tabella 9. Osserviamo

ESSERCI		
ci + è = c'è	Il telefonino è nella borsa. La fontana è al centro della piazza.	Nella borsa c'è il telefonino. Al centro della piazza c'è una fontana.
ci + sono = ci sono	I fiori sono nel vaso. I biglietti sono sul tavolo.	Nel vaso ci sono dei fiori. Sul tavolo ci sono i biglietti.

Con l'aiuto dell'insegnante prova a spiegare cosa significa **ci** nelle frasi della tabella e come si usa.

12 Integra liberamente le seguenti frasi, come nell'esempio in blu. Integrazione ●●

Essere/Esserci

1. Il mio professore è italiano.
2. La .... è ....
3. Questi .... sono ....
4. Gli .... sono ....
5. Quella .... è ....
6. In .... ci sono ....
7. Il .... è ....
8. Gli .... sono ....
9. Dentro la .... ci sono ....
10. Questa .... è ....
11. In classe .... c'è ....
12. Le .... sono ....

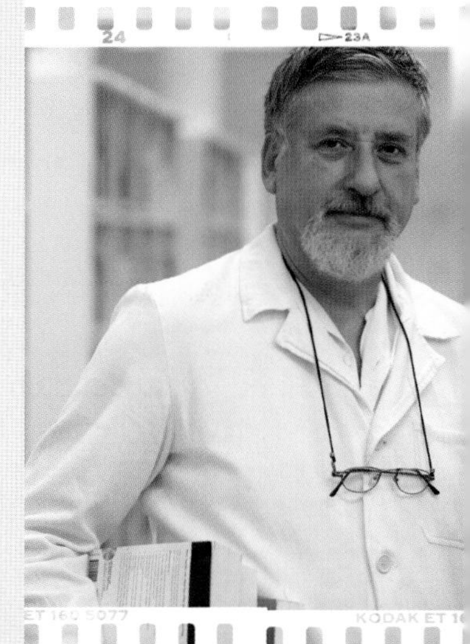

Avere

1. La mia compagna di banco ha 22 anni.
2. La .... ha ....
3. Quegli .... hanno ....
4. L' .... ha ....
5. Queste .... hanno ....
6. I .... hanno ....
7. La .... ha ....
8. Quell' .... ha ....
9. I .... hanno ....
10. L' .... ha ....
11. Questi .... ha ....
12. Il .... ha ....

13 Riordina le frasi, come nell'esempio in blu. Riordino ●●

1. mare al casa hanno ragazzi una quei
   Quei ragazzi hanno una casa al mare.
2. molte ci nell' persone sono autobus sempre
   ....
3. ha non Marisa sorelle solo fratelli ma
   ....
4. un contento molto appartamentino perché sono nuovo ho
   ....
5. sono il animali il e domestici gatto cane
   ....
6. ragazza molti Roberta è ha una e amici simpatica
   ....
7. studenti un quegli hanno molto insegnante bravo
   ....
8. Paolo università esami per ancora ha finire l' due
   ....

14 Descrivi i ragazzi delle foto usando le informazioni date e i verbi essere e avere. Integrazione

A

Nome: Silvia

Età: 17.

Aspetto fisico: 1 m. (metro) e 70 cm. (centimetri) x (per) 60 kg. (chili/chilogrammi); capelli lisci, lunghi e biondi; occhi grandi e verdi; naso piccolo. Magra, alta, gambe lunghe e pelle chiara.

Carattere: allegra, chiacchierona, gentile, studiosa.

Segni particolari: piccolo neo vicino al naso.

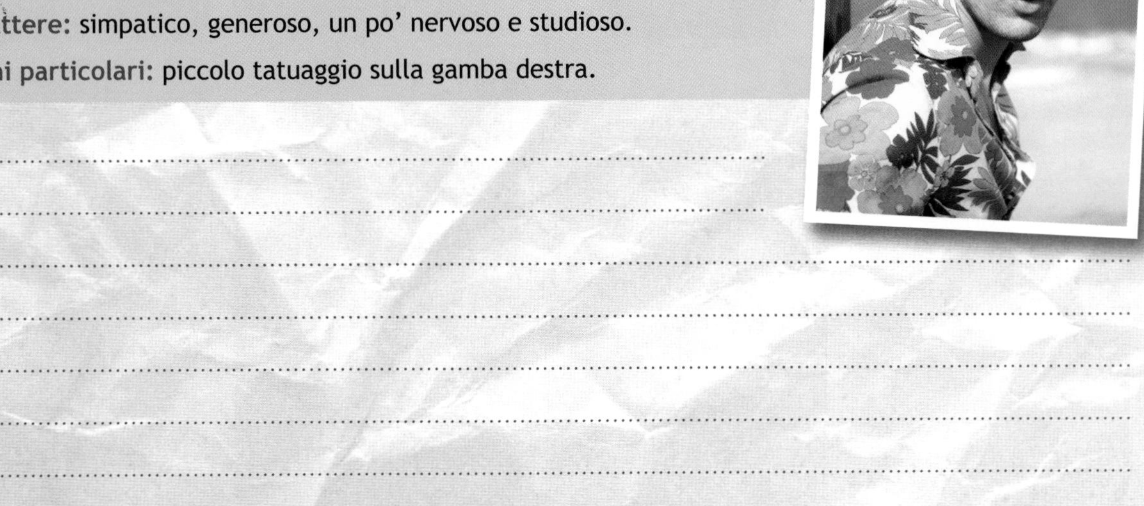

B

Nome: Luca

Età: 22

Aspetto fisico: 1 m. e 82 cm. x 78 kg.; capelli castano scuro,ricci e corti, castano scuro; occhi piccoli e neri; orecchie grandi; naso regolare. Alto, magro e pelle chiara.

Carattere: simpatico, generoso, un po' nervoso e studioso.

Segni particolari: piccolo tatuaggio sulla gamba destra.

15 **Seleziona l'espressione con il verbo essere e scrivila sotto l'immagine corrispondente, come nell'esempio in blu.** Selezione

felice • alto • grasso • magra • annoiata • timida • basso
stanco • arrabbiato • stufo • triste • preoccupata

1 

2 ....

3 ....

4 ....

5 ....

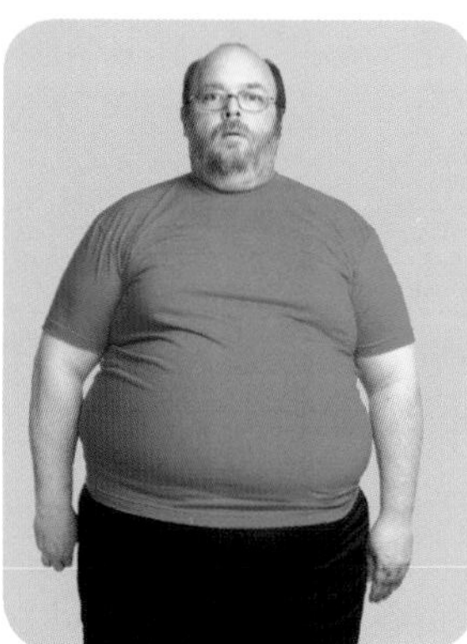

6 ....

7 ....

8 ....

9 ....

10 ....

11 ....

12 ....

16 Selezionа l'espressione con il verbo avere adatta e scrivila sotto l'immagine corrispondente, come nell'esempio in blu.

Selezione ●

fame • mal di schiena • caldo • mal di testa • sonno
l'influenza • mal di denti • sete
paura • freddo • mal di pancia • il raffreddore

1 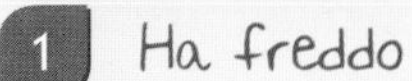

2 ....

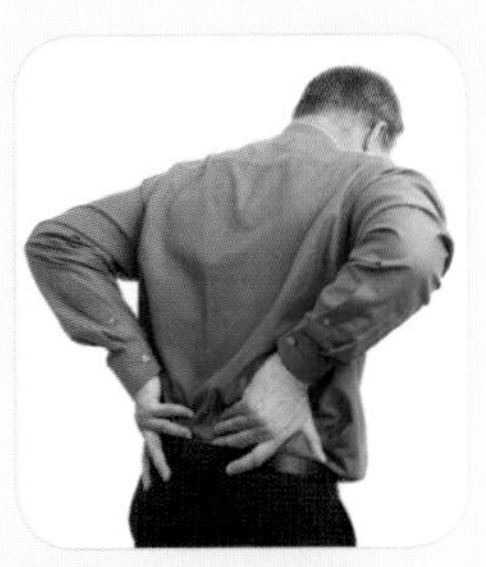

3 .... 4 .... 5 .... 6 .... 7 ....

8 .... 9 .... 10 .... 11 .... 12 ....

17 *C'è gente e gente.* Seleziona le espressioni per ricostruire le frasi, come nell'esempio in blu.

Selezione ●●

a. tutt'orecchi
b. come il cane e il gatto
c. un pezzo di pane
d. al settimo cielo
e. un diavolo per capello
f. il pollice verde
g. le mani bucate
h. al verde

1. Michele è un pezzo di pane; è la persona più buona e gentile che conosco.
2. Alberto ascolta attentamente la lezione; quando parla la maestra, lui è ....
3. Giovanna ha ....; le piante che cura crescono benissimo e sono sempre belle.
4. Luca oggi è felicissimo: è .... perché si è laureato con il massimo dei voti.
5. Giulio adesso è .... e non ha neanche i soldi per andare in pizzeria con gli amici.
6. Francesca e Chiara sono ....: litigano sempre e non vanno mai d'accordo.
7. Antonio oggi è nervosissimo; ha .... e non vuole parlare con nessuno!
8. Elena ha ....: quando torna dalla spesa non porta mai a casa il resto.

18 ***Fare conoscenza.* Con i tuoi compagni di classe drammatizza la conversazione fra Paolo (P), Ana (A) e Carmen (C).** Drammatizzazione

1. A e C sono in treno e domandano se i posti sono liberi.
2. P è seduto e risponde di sì.
3. A chiede di dove è P.
4. P dice che è italiano e che la sua città è Napoli. Poi chiede alle ragazze di dove sono.
5. C risponde che loro sono spagnole di Madrid; poi chiedono a P il suo nome e la sua età.
6. P dice che Madrid è una bella città. Poi dice il suo nome e la sua età e chiede alle ragazze il loro nome e la loro età.
7. A dice come si chiamano e la loro età.
8. P chiede il motivo del viaggio.
9. C risponde.
10. P chiede se sono in Italia per la prima volta.
11. A risponde che Carmen è in Italia per la prima volta, mentre lei è in Italia spesso, perché qui ha degli amici.
12. P chiede di dove sono gli amici di Ana.
13. A risponde che sono di Roma.
14. P saluta le ragazze spagnole e augura loro buon viaggio.

19 Leggi le descrizioni, trova i 12 errori presenti e correggili come nell'esempio.

Correzione ●●

1. Il signor Pampurio e un uomo grande e grosso e ha pochi capelli. A occhiali molto grandi e strani. Il suo naso è grosso e rotondo. Ha anche barba è baffi.

2. Giacometto è un bambino allegro e vivace e a un visetto simpatico. I suoi capelli sono biondi è corti. A le orecchie grandi, il naso rotondo e gli occhi azzurri.

3. L'avvocato Truffaldini è un uomo abbastanza giovane. È bello ed e elegante. Ha i capelli neri, corti e ricci. Anche gli occhi sono neri. È una bocca grande. Non è molto simpatico ma ha molto bravo nel suo lavoro.

4. La signora Ornella è una donna che è la passione dello shopping. Sono i capelli lunghi e lisci, ma il suo naso è un po' lungo, le sue labbra hanno sottili. Non è molto bella ma è elegante e raffinata.

	1	2	3	4	5	6	7	8	9	10	11	12
Forma sbagliata	e											
Forma corretta	è											

20 Sostituisci l'infinito dei verbi essere, esserci e avere con il presente, come nell'esempio in blu.

Sostituzione ●

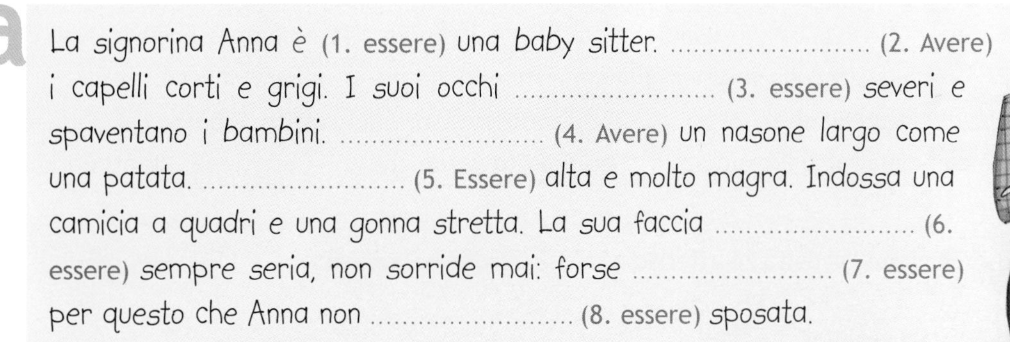

a La signorina Anna è (1. essere) una baby sitter. .... (2. Avere) i capelli corti e grigi. I suoi occhi .... (3. essere) severi e spaventano i bambini. .... (4. Avere) un nasone largo come una patata. .... (5. Essere) alta e molto magra. Indossa una camicia a quadri e una gonna stretta. La sua faccia .... (6. essere) sempre seria, non sorride mai: forse .... (7. essere) per questo che Anna non .... (8. essere) sposata.

Angela, II elementare

b

Oggi .... (9. essere) *una splendida giornata, il sole* .... (10. essere) *alto nel cielo. Davanti a me* .... (11. esserci) *un muretto di pietra grigia che ha dei vasi sopra. Più in là* .... (12. esserci) *degli alberi alti e verdi che* .... (13. avere) *tante foglie. Dietro gli alberi* .... (14. esserci) *un campanile molto alto che* .... (15. avere) *un orologio che batte le ore. Il cielo* .... (16. essere) *azzurro, sereno e mi dà tanta gioia.*

Claudio, III elementare

21 5 ***Pippi Calzelunghe.* Ascolta il testo e trascrivi le parole mancanti, come nell'esempio in blu.** Trascrizione

Pippi è (1) una bambina molto particolare. I capelli .... (2) di colore arancione come le carote. La bocca .... (3) grande e i denti .... (4) bianchissimi. Pippi .... (5) un naso piccolo, rotondo come una patatina e pieno di lentiggini. Pippi .... (6) sempre felice, non .... (7) mai stanca e non .... (8) mai sonno. Pippi .... (9) molti vestiti, un po' strani, ma molto simpatici. Il vestito che indossa oggi .... (10) di colore giallo come il sole. Questo vestito non .... (11) le maniche, ... (12) corto e non arriva neanche al ginocchio. Sotto il vestito, Pippi indossa una maglietta e un paio di calze. La maglietta .... (13) bianca e .... (14) le maniche corte. Le calze sono lunghe ma non .... (15) lo stesso colore: una calza .... (16) verde, mentre l'altra calza .... (17) nera. Anche le scarpe di Pippi .... (18) nere e .... (19) il tacco basso. Oggi .... (20) una bella giornata e Pippi va a fare una passeggiata. Nella mano destra .... (21) una vecchia valigia marrone; nella mano sinistra, invece, ... (22) un grandissimo cappello che .... (23) lo stesso colore del vestito. Pippi .... (24) felice mentre cammina sotto il cielo azzurro e sul prato verde che .... (25) tanti fiori.

22 **Dopo aver svolto l'attività 21, riferisci alla classe cosa hai capito.** Lettura autentica

23 **Dopo aver svolto l'attività 21, rispondi alle seguenti domande o completa le frasi.** Lettura attiva

1. Pippi Calzelunghe è .... e ha ....
2. Com'è il vestito che Pippi indossa oggi? ....
3. La maglietta di Pippi ....
4. Come sono le calze di Pippi? ....
5. Il cappello di Pippi ....
6. Dove cammina Pippi? ....

➲ **Ora fai tu una domanda a un tuo compagno di classe.**

24 **Dopo aver svolto l'attività 21, scrivi nella griglia i verbi essere e avere, come nell'esempio in blu.** Lettura focalizzata

Chi/Cosa	Verbo avere	Verbo essere
Pippi	ha un naso piccolo	è una bambina particolare

25 6 **Ascolta il testo *Albergo Astoria* e riferisci alla classe cosa hai capito.** Ascolto rilassato

26 6 **Ascolta il testo *Albergo Astoria* (25) e rispondi alle domande o completa le frasi.** Ascolto attivo

1. Le camere dell'albergo *Astoria* ....
2. Che tipo di camere ha l'albergo *Astoria*? ....
3. Televisore, telefono e frigorifero ....
4. Alcune camere ....
5. Cosa ha l'albergo *Astoria* oltre alle camere? ....
6. Cosa possono fare i bambini e i genitori nel giardino dell'albergo? ....

....

➲ **Ora fai tu una domanda a un tuo compagno di classe.**

27 **6 Ascolta il testo *Albergo Astoria* (25) e scrivi nella griglia i numeri relativi a ogni informazione, come nell'esempio in blu.** Ascolto analitico

1. Camere singole	20	6. Totale camere	
2. Camere doppie		7. Persone che può ospitare l'albergo	
3. Camere matrimoniali		8. Posti per la sala conferenze	
4. Camere con tre letti		9. Lunghezza piscina (metri)	
5. Camere con quattro letti		10. Tavoli intorno alla piscina	

28 **Incolla la foto di una persona e descrivila brevemente indicando: nome, età, aspetto fisico, carattere, segni particolari. Devi usare circa 50-60 parole.** Espansione

....
....
....
....
....
....
....
....
....
....
....
....
....
....
....

29 **Dopo aver svolto l'attività 21, disegna *Pippi Calzelunghe*.** Transcodifica

Pippi Calzelunghe

30 ***Che ora è? / Che ore sono?*** **Osserva gli orologi e indica che ore sono, come nell'esempio in blu.** Transcodifica

1

Sono le tre.
Sono le quindici.

2

....
....

3

....
....

4

....
....

5

....
....

6

....
....

7

....
....

8

....
....

9

....
....

31 **Scrivi 10 frasi usando il verbo essere, come nell'esempio in blu.** Composizione ●●

1. Io sono straniero e il mio insegnante è italiano.
2. ....
3. ....
4. ....
5. ....
6. ....
7. ....
8. ....
9. ....
10. ....

32 **Scrivi 10 frasi usando il verbo avere, come nell'esempio in blu.** Composizione ●●

1. Io ho 24 anni e il mio insegnante circa 40.
2. ....
3. ....
4. ....
5. ....
6. ....
7. ....
8. ....
9. ....
10. ....

33 **Descrivi brevemente...** Esposizione ●●

A. ... un tuo compagno di classe o una persona che conosci bene indicando le sue caratteristiche fisiche e il suo carattere.

B. ... un animale che hai o che ti piace indicando le sue caratteristiche fisiche e il suo comportamento.

C. ... un oggetto che ti piace molto o un regalo che per te ha un significato particolare.

Qualificare persone e cose:
aggettivi, articoli indeterminativi e partitivi

Tabella 10. Osserviamo

ARTICOLI INDETERMINATIVI			
	singolare		plurale
	un	leone, rinoceronte, orso	**Nota**: il plurale dell'articolo indeterminativo in italiano non esiste. Al suo posto si può usare il plurale dell'articolo partitivo (dei, degli, delle. Vedi pagina 47).
	uno	struzzo	
	una un'	pantera, giraffa, scimmia aquila, antilope	

Con l'aiuto dell'insegnante cerca di capire qual è la regola degli **articoli indeterminativi** italiani.

1 ***Frutta e verdura*. Abbina ogni nome alla sua immagine e scrivi l'articolo indeterminativo giusto, come nell'esempio in blu.** Abbinamento

mela • pomodoro • peperone • patata • cipolla
arancia • limone • fragola • ciliegia • cocomero
fico • pesca • albicocca • zucchina • banana
carota • ananas • melone • zucca • melanzana

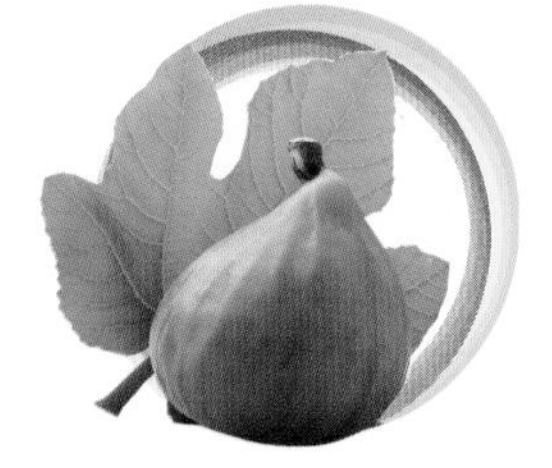

1. una melanzana
2. ___ __________
3. ___ _______
4. ___ ____

   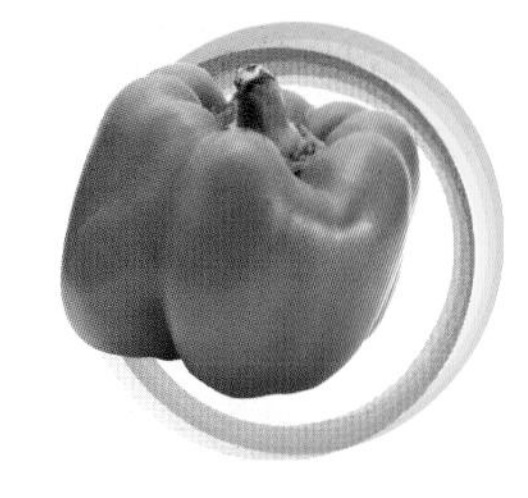

5. ___ _ _ _ _ _ _ _ _   6. ___ _ _ _ _ _ _   7. ___ _ _ _ _ _ _ _ _   8. ___ _ _ _ _ _ _ _ _ _

 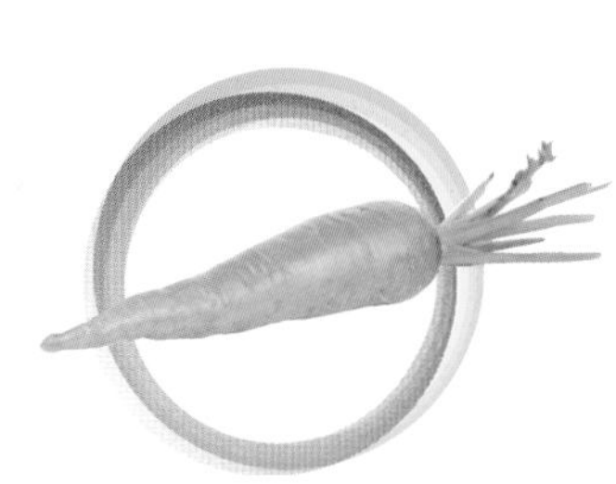  

9. ___ _ _ _ _ _ _   10. ___ _ _ _ _ _ _ _   11. ___ _ _ _ _ _ _ _ _ _   12. ___ _ _ _ _ _ _ _ _ _

13. ___ _ _ _ _   14. ___ _ _ _ _ _ _ _   15. ___ _ _ _ _ _ _ _   16. ___ _ _ _ _ _ _ _ _

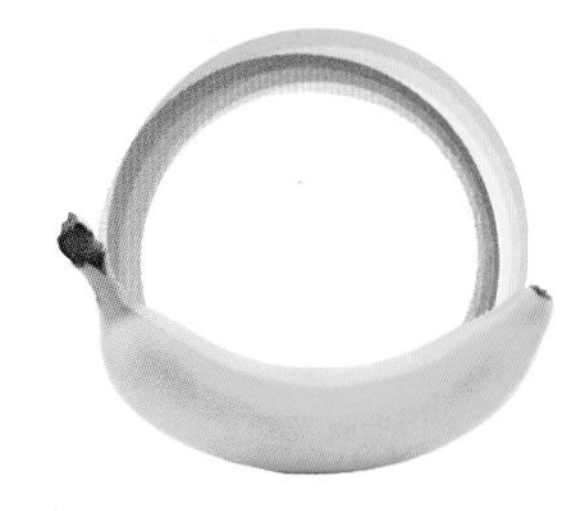   

17. ___ _ _ _ _ _ _ _   18. ___ _ _ _ _ _ _ _ _   19. ___ _ _ _ _ _ _ _ _ _   20. ___ _ _ _ _ _ _ _ _ _

2 ***Una classe multietnica*. Abbina ogni nazionalità alla colonna giusta e metti l'articolo indeterminativo, come nell'esempio in blu.**

Abbinamento

Alcune nazionalità possono essere sia maschili che femminili.

Nella mia classe ci sono studenti e studentesse di tutto il mondo.
Ci sono un - uno - un' - una:
inglese • australiano • statunitense • russa • brasiliana • polacca • canadese • svedese argentina • tedesco • turco • svizzero • cinese • spagnola • indiano • greca • arabo francese • austriaco • romena • giapponese • portoghese • filippina • messicano

E tu di dove sei?

Io sono ....

3 **Completa il testo con gli articoli determinativi o indeterminativi, come nell'esempio in blu.** Completamento ●●

Calimero è un (1) pulcino simpaticissimo che ha due grandi occhioni azzurri e .... (2) cappello tutto bianco fatto con .... (3) guscio di .... (4) uovo. .... (5) sua mamma e i suoi fratellini, però, non lo vogliono perché lui è completamente nero come .... (6) carbone. .... (7) giorno, mentre Calimero cerca di raggiungere .... (8) suoi fratellini che stanno passeggiando con la loro mamma, cade in .... (9) tinozza piena di acqua e detersivo per lavare .... (10) panni. Quando esce, nessuno può credere a quello che vede: Calimero è bianchissimo come .... (11) neve! Questo significa che .... (12) suo vero colore non era .... (13) nero ma .... (14) bianco come quello di tutti .... (15) altri pulcini e che Calimero era solo... sporco. Negli anni Sessanta e Settanta .... (16) grande industria italiana ha usato .... (17) storia di Calimero per pubblicizzare il suo detersivo. In questo modo Calimero è diventato e rimane famosissimo in Italia: .... (18) sua immagine ancora oggi appare su articoli di abbigliamento, generi alimentari, oggetti scolastici e gadget di vario tipo, oltre che nei cartoni animati televisivi.

4 **Individua l'articolo determinativo o indeterminativo corretto, come nell'esempio.** Individuazione ●●

1. (Il) Un Monte Bianco è (il) un monte più alto d'Europa.
2. Lo Uno spagnolo è la una lingua che viene dal latino.
3. La Una storia è la una delle materie che preferisco.
4. Il Un dottor Franchi è il un pediatra molto bravo.
5. Ieri sera ho visto il un bel film dove recitava la una mia attrice preferita.
6. La Una bicicletta è il un mezzo di trasporto economico ed ecologico.
7. John è lo uno studente inglese che ama molto la una cucina italiana.
8. Carlo è il un buon amico e la una persona più gentile che conosco.
9. La Una mela al giorno toglie il un medico di torno.
10. Il Un tiramisù è il un tipico dolce italiano.
11. L' Un' amicizia è il un valore importante.
12. La Una macchina è il un mezzo di trasporto molto utile.

Tabella 11. Osserviamo

ARTICOLI PARTITIVI				
	singolare		plurale	
maschile	del	latte, pane, sale, pepe	dei	biscotti, tortellini
	dello dell'	zucchero, spumante aceto, olio	degli	spaghetti, gnocchi, asparagi
femminile	della dell'	farina, marmellata acqua	delle	lasagne, mele, uova

Con l'aiuto dell'insegnante cerca di capire con quali nomi si può usare l'articolo partitivo singolare e con quali nomi si può usare quello plurale.

Che differenza c'è fra *lo studente* e *uno studente*?
Fra *uno studente* e *degli studenti*?

5 ***La mia città*. Completa il testo con gli articoli determinativi, indeterminativi e partitivi, come nell'esempio in blu.** Completamento ●●

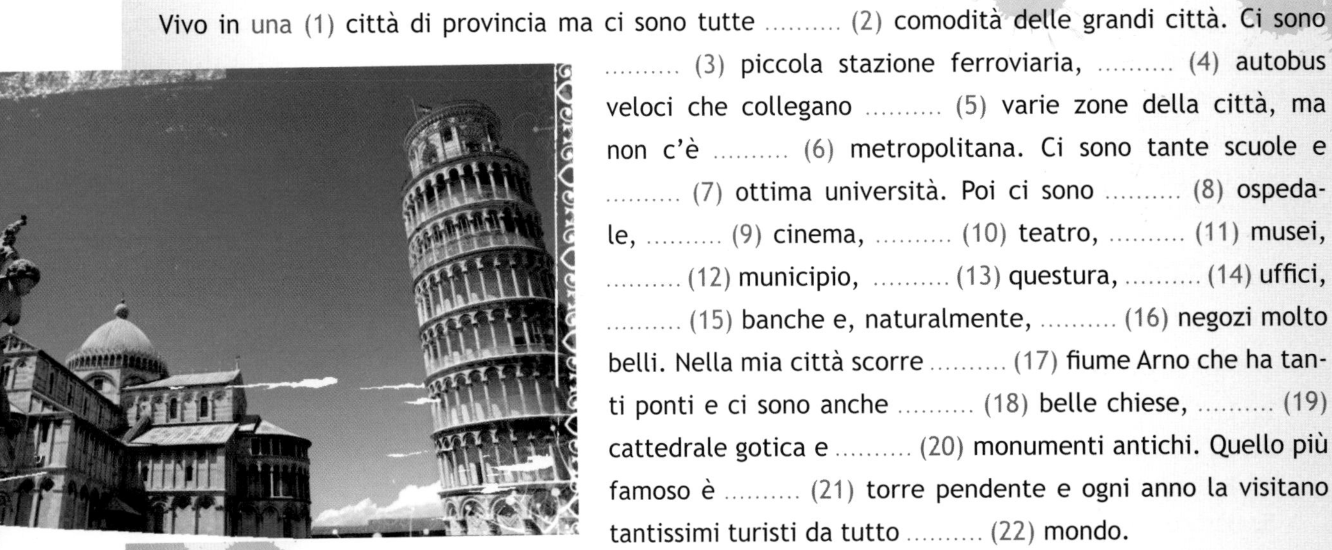

Vivo in una (1) città di provincia ma ci sono tutte .... (2) comodità delle grandi città. Ci sono .... (3) piccola stazione ferroviaria, ... (4) autobus veloci che collegano .... (5) varie zone della città, ma non c'è .... (6) metropolitana. Ci sono tante scuole e .... (7) ottima università. Poi ci sono .... (8) ospedale, ... (9) cinema, ... (10) teatro, ... (11) musei, ... (12) municipio, ... (13) questura, ... (14) uffici, ... (15) banche e, naturalmente, ... (16) negozi molto belli. Nella mia città scorre .... (17) fiume Arno che ha tanti ponti e ci sono anche .... (18) belle chiese, ... (19) cattedrale gotica e .... (20) monumenti antichi. Quello più famoso è .... (21) torre pendente e ogni anno la visitano tantissimi turisti da tutto .... (22) mondo.

6 **Individua e scrivi l'articolo determinativo, indeterminativo o partitivo corretto, come nell'esempio in blu.** Individuazione ●

1. La mia scuola ha anche un campo da tennis.
2. .... donne indiane indossano sempre .... vestiti colorati.
3. Hai .... busta di latte e .... zucchero da prestarmi?
4. .... avvocato è in riunione con .... colleghi.
5. .... motorino di Giovanni ha .... ruota bucata.
6. È .... bravo ragazzo ma ha .... idee che non condivido.
7. Nel film c'è .... uomo che ricomincia .... nuova vita.
8. Ha .... francobolli rari provenienti da tutto .... mondo.
9. Ti piace .... risotto con .... funghi?
10. Vorrei .... prosciutto e .... etto di parmigiano.
11. .... onestà è .... qualità rara.
12. .... gatto è .... animale domestico.

La	Una	un	uno
Le	Della	il	dei
uno	una	dello	della
Uno	L'	gli	dei
Il	Lo	della	una
il	un	la	delle
un	il	della	una
gli	dei	un	il
lo	il	i	gli
del	lo	un	dell'
L'	Un'	la	una
Il	Uno	un	lo

Tabella 12. Osserviamo

GLI AGGETTIVI
1° gruppo

	singolare				plurale		
♂	**il / un**	pennarello	azzurro	♂♂	**i / dei**	pennarelli	azzurri
	il / un	mare			**i / dei**	mari	
♀	**la / una**	gonna	azzurra	♀♀	**le / delle**	gonne	azzurre
	la / una	chiave			**le / delle**	chiavi	

Quante forme hanno gli aggettivi di questo gruppo?
In cosa sono diverse queste forme l'una dall'altra?

7 Individua il genere (M o F) e il numero (S o P) di ogni espressione, come nell'esempio in blu.

Individuazione ●

	M	F	S	P
1. albero alto	✓		✓	
2. treno diretto	✓		✓	
3. francobolli rari	✓			✓
4. gatti persiani	✓			✓
5. gelato gustoso	✓		✓	
6. vino bianco	✓		✓	
7. bottiglia piena		✓	✓	
8. poltrone comode		✓		✓
9. stelle lontane		✓		✓
10. mele mature		✓		✓
11. stanza luminosa		✓	✓	
12. ragazzi stranieri	✓			✓

Tabella 13. Osserviamo

GLI AGGETTIVI 2° gruppo							
	singolare				plurale		
♂	l' un	albero	verde	♂♂	gli degli	alberi	verdi
	il un	maglione			i dei	maglioni	
♀	la una	matita	verde	♀♀	le delle	matite	verdi
	la una	siepe			le delle	siepi	

Quante forme hanno gli aggettivi di questo gruppo? In cosa sono diverse queste forme l'una dall'altra? In cosa è diverso il 2° gruppo dal 1° gruppo?

I nomi e gli aggettivi del 1° e del 2° gruppo possono combinarsi fra loro in vari modi:
il pennarello verde / i pennarelli verdi / il maglione azzurro / i maglioni azzurri.

8 Individua il genere (M o F) e il numero (S o P) di ogni espressione, come nell'esempio in blu. Individuazione

1. attori celebri
2. leoni feroci
3. studenti intelligenti
4. pepe piccante
5. cane fedele
6. frasi semplici
7. giornale interessante
8. esame difficile
9. dolce pasquale
10. stagione invernale
11. scarpe marroni
12. lezioni serali

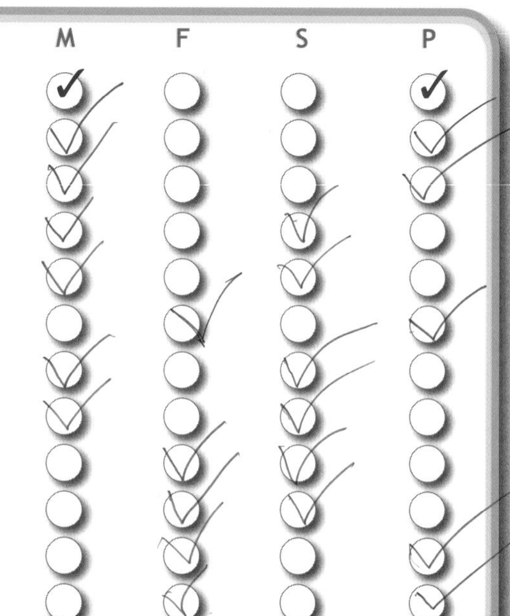

9 **Abbina ogni nome al suo aggettivo, poi scrivi nella tabella a quale gruppo e genere appartengono i nomi e gli aggettivi, come negli esempi.**

Abbinamento ●●

Nome		Aggettivo	
1. e il/un treno	7. ...... il/un luogo	a. navale	g. postale
2. d l'/un'aspirina	8. ...... la/una cornice	b. fidato	h. lontano
3. ...... lo/uno strumento	9. ...... il/un porto	c. argentata	i. esigente
4. ...... la/una canzone	10. ...... l'/un amico	d. effervescente	l. cinematografica
5. ...... il/un cliente	11. ...... l'/un ufficio	e. diretto	m. melodica
6. ...... la/una sala	12. ...... la/una riunione	f. musicale	n. importante

	Nome		Aggettivo	
	MASCHILE	FEMMINILE	MASCHILE	FEMMINILE
I gruppo	il/un treno	l'/un'aspirina	diretto	
II gruppo				effervescente

10 **Sostituisci il singolare con il plurale dei nomi dell'attività 9, come negli esempi.**

Sostituzione ●●

Singolare	Plurale
1. il/un treno diretto	i/dei treni diretti
2. l'/un'aspirina effervescente	le/delle aspirine effervescenti
3. lo/uno strumento	....
4. la/una canzone	....
5. il/un cliente	....
6. la/una sala	....
7. il/un luogo	....
8. la/una cornice	....
9. il/un porto	....
10. l'/un amico	....
11. l'/un ufficio	....
12. la/una riunione	....

11 Abbina ogni nome al suo aggettivo, poi scrivi nella tabella a quale gruppo e genere appartengono i nomi e gli aggettivi, come negli esempi.

Abbinamento ●●

Nome

1. h l'/un abito
2. g l'/una impiegata
3. ...... l'/un orologio
4. ...... la/una legge
5. ...... il/un fiore
6. ...... il/un segnale
7. ...... il/un discorso
8. ...... la/una montagna
9. ...... la/una macchina
10. ...... la/una salsa
11. ...... la/una notte
12. ...... la/una camera

Aggettivo

a. noioso
b. severa
c. profumato
d. veloce
e. preciso
f. musicale
g. pigra
h. elegante
i. stradale
l. stellata
m. alta
n. grande

	Nome		Aggettivo	
	MASCHILE	**FEMMINILE**	**MASCHILE**	**FEMMINILE**
I gruppo	l'/un abito	l'/una impiegata		pigra
II gruppo			elegante	

12 Sostituisci il singolare con il plurale dei nomi dell'attività 11, come negli esempi.

Sostituzione ●●

Singolare	Plurale
1. l'/un abito elegante	gli/degli abiti eleganti
2. l'/una impiegata pigra	le/delle impiegate pigre
3. l'/un orologio	....
4. la/una legge	....
5. il/un fiore	....
6. il/un segnale	....
7. il/un discorso	....
8. la/una montagna	....
9. la/una macchina	....
10. la/una salsa	....
11. la/una notte	....
12. la/una camera	....

13 *Le nazionalità*. Completa le frasi con le parti mancanti, come nell'esempio in blu.

Completamento ●

1. Fabio	è	un	ragazzo	italiano	di Firenze.
2. Tatiana	....	....	ragazz....	russ....	di Mosca.
3. Dorota	....	....	signor....	polacc....	di Varsavia.
4. Borat e Sunil	....	....	lavorator....	indian....	di Calcutta.
5. Michael	....	....	professor....	svizzer....	di Zurigo.
6. Pablo e Pedro	....	....	student....	spagnol....	di Madrid.
7. Ping	....	....	imprenditor....	cines....	di Pechino.
8. Klaus	....	....	architett....	tedesc....	di Berlino.
9. Tom e Mary	....	....	impiegat....	american....	di New York.
10. Sabine	....	....	cantant....	austriac....	di Vienna.
11. Isabel	....	....	commess....	portoghes....	di Lisbona.
12. Alain e Gilbert	....	....	pittor....	frances....	di Parigi.

14 Completa le frasi con le parti mancanti e l'aggettivo di nazionalità, come nell'esempio in blu.

Completamento ●●

1. La pizza è	un	famoso	piatto	italiano.
2. Il flamenco è	....	tradizional....	ballo	....
3. Mykonos è	....	bell....	isola	....
4. Il sushi è	....	saporit....	specialità	....
5. La Grande Muraglia è	....	imponent....	monumento	....
6. Il canguro è	....	tipic....	animale	....
7. Il Nobel è	....	prestigios....	premio	....
8. Il Porto è	....	aromatic....	vino	....
9. Il Rio delle Amazzoni è	....	lung....	fiume	....
10. La Tour Eiffel è	....	particolar....	torre	....
11. Machu Picchu è	....	antic....	città	....
12. La Statua della Libertà è	....	enorm....	statua	....

15 ***Caratteristiche*. Scrivi l'articolo davanti ai nomi e integra le frasi con uno o più aggettivi, come nell'esempio in blu.** Integrazione ●●

1. L'/Un	albergo	può essere	elegante, costoso, economico, moderno, rinomato ...
2.	strada		....
3.	cane		....
4.	ristorante		....
5.	autobus		....
6.	film	possono essere	....
7.	giornali		....
8.	lezioni		....
9.	fiori		....
10.	palazzi		....
11.	vacanze		....
12.	amici		....

16 **Sostituisci il singolare con il plurale, come nell'esempio in blu.** Sostituzione ●●

Singolare	Plurale
1. Questo autobus è vecchio e affollato.	Questi autobus sono vecchi e affollati.
2. Questa giacca è vecchia e rovinata.	....
3. È un consiglio cordiale e disinteressato.	....
4. Questa torta di mele è davvero gustosa.	....
5. L'università di questa città è famosa.	....
6. Quella ragazza straniera è molto simpatica.	....
7. È un esercizio lungo e noioso ma utile.	....
8. Questo libro è interessante e istruttivo.	....
9. Quel film è avventuroso ed emozionante.	....
10. È un libro antico e raro.	....

17 ***Calandrino e Buffalmacco*. Leggi bene la descrizione di Calandrino.**

Sostituzione ●●

Calandrino è un uomo molto brutto, ma intelligente. È basso e grasso. Ha una testa grande, la fronte alta e rugosa. La bocca è storta con il labbro inferiore più grosso di quello superiore. Sotto il mento ha una barba lunga e bianca. I denti sono sempre sporchi e il suo naso è molto largo. Le gambe sono corte e storte, i piedi lunghi e larghi. Indossa sempre vestiti vecchi e porta scarpe pesanti. Però è simpatico a tutti.

Il suo amico Buffalmacco, invece, è completamente diverso. Prova a descriverlo, sostituendo gli aggettivi in rosso con i loro contrari, come nell'esempio.

Buffalmacco è un uomo molto bello, ma ....

....

....

....

....

....

....

....

....

....

....

....

18 ***Cibi e bevande*. Individua l'espressione inadatta, come nell'esempio in blu.**

Individuazione ●●

1. L'acqua non può essere

liscia
riccia
naturale

2. La frutta non può essere

matura
secca
snella

3. Il vino non può essere

bianco
piccante
rosso

4. La pasta non può essere

scotta
grassa
al dente

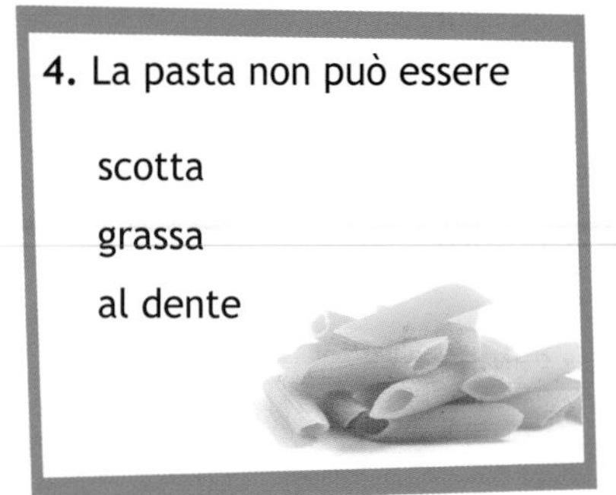

5. Il latte non può essere

intero
fresco
crudo

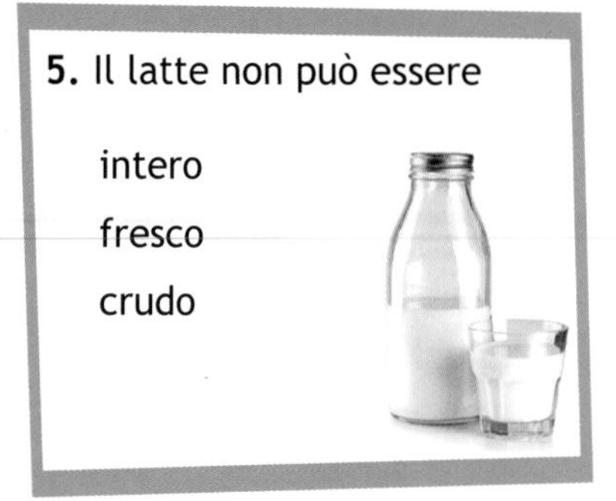

6. Il caffè non può essere

corretto
fritto
lungo

7. La bibita non può essere

matura
calda
fresca

8. Il pane non può essere

integrale
corretto
ben cotto

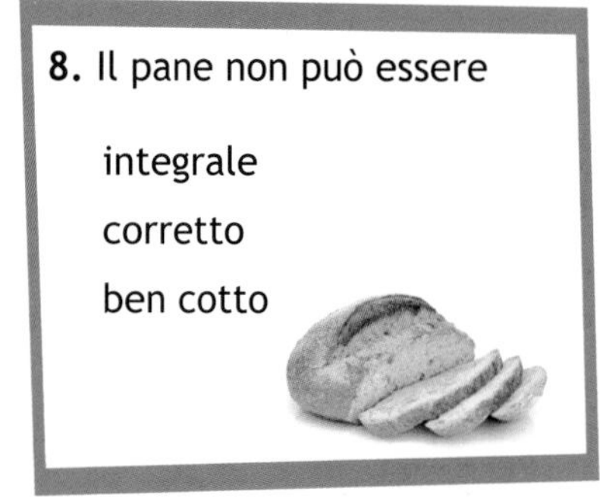

9. Il pesce non può essere

fresco
fritto
scotto

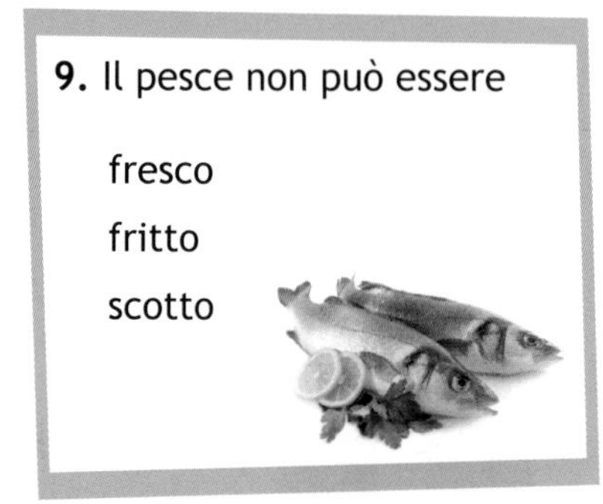

10. La verdura non può essere

integrale
fresca
cruda

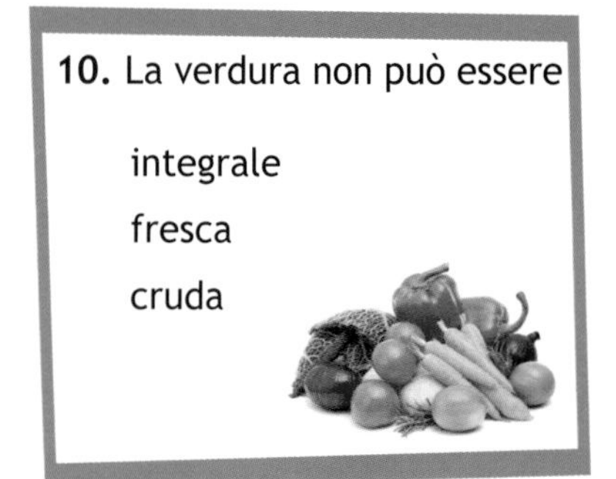

11. Il gelato non può essere

alla frutta
al dente
in coppetta

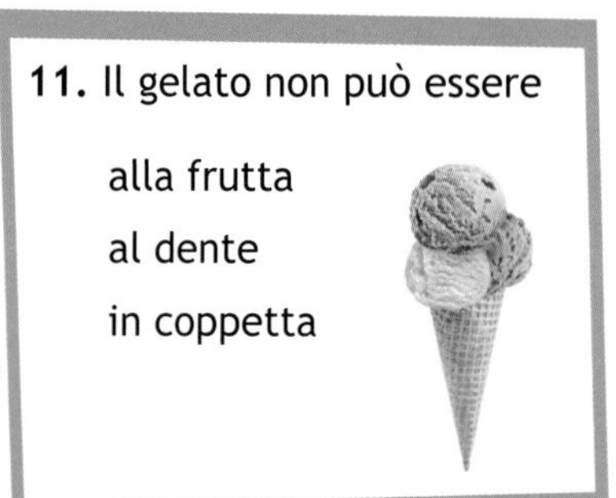

12. La carne non può essere

rossa
cruda
matura

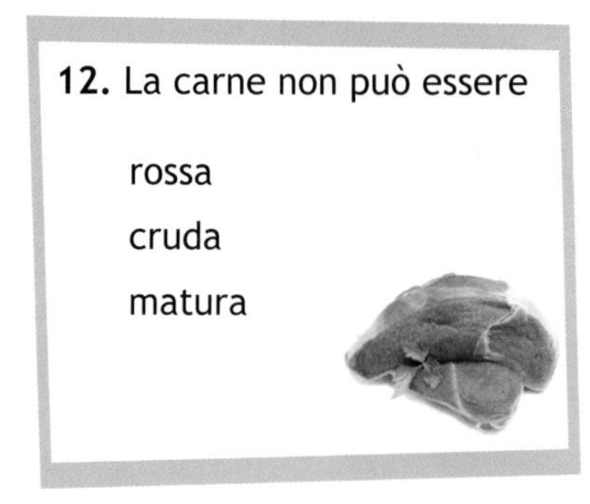

19 Seleziona e inserisci gli aggettivi dati, come nell'esempio in blu. Selezione ●●

ovale • disordinata • grassa • piccola • socievole • verdi
magra • solare • castani • lisci • media • espressivi

Io sono così. Il mio nome è Alice, sono una ragazza solare (1) e ho molti amici. Ho una statura .... (2), non sono tanto .... (3) ma neanche .... (4). Ho gli occhi .... (5) ed .... (6); il mio viso è .... (7) e la bocca è .... (8). Una caratteristica che mi piace molto di me sono i capelli .... (9) e .... (10) come l'olio. Sono molto .... (11) e mi piace la compagnia di tutti. Però sono .... (12) e non metto mai le cose a posto.

20 ***I numeri ordinali.*** **Riordina nella giusta sequenza i numeri ordinali accanto ai numeri romani, come nell'esempio in blu.** Riordino ●

TERZO
secondo
dodicesimo
nono
MILLESIMO
UNDICESIMO
decimo
centesimo
ottavo
quarto
primo
settimo
QUINTO
sesto

I	primo
II	....
III	....
IV	....
V	....
VI	....
VII	....
VIII	....
IX	....
X	....
XI	....
XII	....
C	....
M	....

21 **Leggi i seguenti numeri romani come ordinali.** Transcodifica ●●

I II III IV V VI VII VIII

IX X XI XII XV XXX C M

22 ***La settimana.*** **Riordina nella giusta sequenza i giorni della settimana, come nell'esempio in blu.** Riordino ●

1. Il I	giorno della settimana non è	giovedì	ma	lunedì
2. Il II		venerdì		....
3. Il III		lunedì		....
4. Il IV		martedì		....
5. Il V		domenica		....
6. Il VI		mercoledì		....
7. Il VII		sabato		....

23 ***L'anno*. Riordina i mesi dell'anno, come nell'esempio in blu, e scrivi a fianco la stagione corrispondente.** Riordino

		Mesi			Stagioni
1. Il I	mese dell'anno non è	aprile	ma	gennaio	....
2. Il II		settembre		....	
3. Il III		giugno		....	
4. Il IV		dicembre		....	....
5. Il V		ottobre		....	
6. Il VI		gennaio		....	
7. Il VII		maggio		....	....
8. L'VIII		novembre		....	
9. Il IX		luglio		....	
10. Il X		febbraio		....	....
11. L'XI		agosto		....	
12. Il XII		marzo		....	

24 ***I colori*. Osserva la tabella e scrivi sotto ogni colore il suo nome, come nell'esempio in blu.** Transcodifica

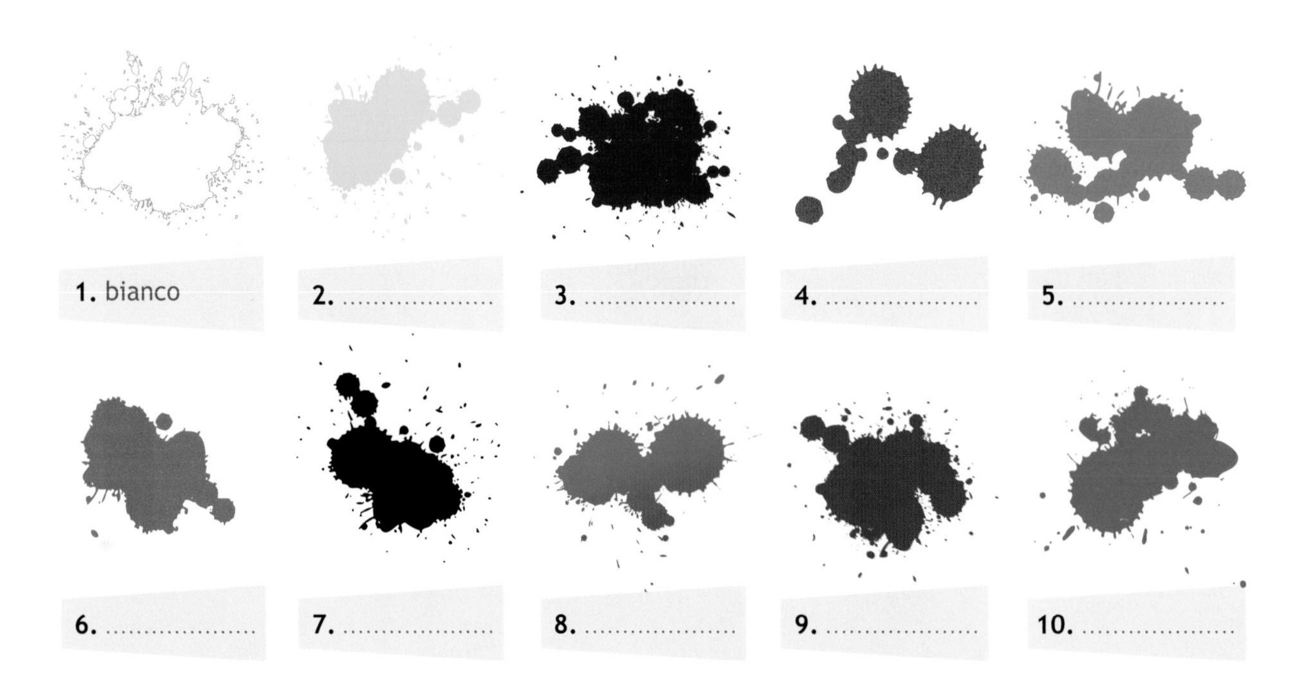

1. bianco 2. .... 3. .... 4. .... 5. ....

6. .... 7. .... 8. .... 9. .... 10. ....

Tabella 14. Osserviamo

PARTICOLARITÀ DI NOMI E AGGETTIVI							
-co -go	cuoco sporco mago	-chi -ghi	cuochi sporchi maghi	-ca -ga	cuoca sporca maga	-che -ghe	cuoche sporche maghe
	autentico pratico psicologo	-ci -gi	autentici pratici psicologi		autentica pratica psicologa		autentiche pratiche psicologhe
-io	armadio spazio	-i	armadi spazi	-cia -gia	camicia ciliegia	-cie -gie	camicie ciliegie
	zio addio	-ii	zii addii		provincia spiaggia	-ce -ge	province spiagge
Attenzione:	amico greco		amici greci				

Alcuni nomi e aggettivi del 1° gruppo hanno delle particolarità al plurale. Osserva la tabella e, con l'aiuto dell'insegnante, prova a spiegare quali sono queste particolarità.

25 **Sostituisci il singolare con il plurale dei seguenti nomi e scrivi l'articolo, come nell'esempio in blu.** Sostituzione ●●

Nomi in *-co/-go*		Nomi in *-io*		Nomi in *-cia/-gia*		Nomi in *consonante*	
il lago	i laghi	...... orologio	....	...... camicia	....	...... computer	....
...... cuoco	....	...... specchio	....	...... ciliegia	....	...... film	....
...... medico	....	...... armadio	....	...... valigia	....	...... bar	....
...... storico	....	...... zio	....	...... roccia	....		
...... luogo	....			...... arancia	....		
...... sugo	....			...... spiaggia	....		
...... albergo	....			...... farmacia	....		
...... asparago	....			...... allergia	....		
...... greco	....			...... bugia	....		
...... amico	....						

Nomi in *-ca/-ga*		Nomi *accentati*		Nomi *abbreviati*	
...... barca	....	...... città	....	...... foto	....
...... amica	....	...... università	....	...... moto	....
...... giacca	....			...... metro	....
...... banca	....				
...... collega	....				

26 **Nel seguente testo ci sono 12 nomi o aggettivi sbagliati. Leggi il testo e scrivi nella griglia i termini sbagliati con accanto la forma corretta, come nell'esempio in blu.**

Correzione ●●

Topo Gigio è un topo-astronauta e arriva dal futuro. Un giorno mentre sta viaggiando nello spazio, la sua nava spaziale ha dei problemi tecnico e deve atterrare su un pianeta sconosciuta. Molto presto capisce che questo pianeta si chiama Terra e che il posto dove è atterrato è l'Italia, un bellissimo paeso dove il cielo e l'acqua sono azzurre, il sole è giallo e gli alberi sono verde. Inizialmente Topo Gigio è tristo perché non può ritornare da dove è venuto ma per fortuna incontra dei topolini molto allegri e simpatichi: Tano, Tonio e Tullio, che diventano i suoi migliori amici, e una bambina sensibile di nome Gina, che lo adotta e lo porta a vivere con lei senza dire niente ai suoi genitore. In questa sua nuova casa Topo Gigio conosce anche Megalo, un gatto cattive e la dolcia Mimì, una topolina con i baffo lunghissimi e gli occhi azzurri, che diventa la sua fidanzata.

Sbagliato	Corretto
nava	nave
....	....
....	....
....	....
....	....
....	....
....	....
....	....
....	....
....	....
....	....
....	....

27 **Dopo aver svolto l'attività 26, riferisci alla classe cosa hai capito.** Lettura autentica ●●

28 **Dopo aver svolto l'attività 26, rispondi alle domande o completa le frasi.** Lettura attiva ●●

1. Topo Gigio arriva ....
2. In che modo arriva sul pianeta Terra? ....
3. In Italia il cielo e l'acqua sono ...., il sole è ...., e gli alberi sono ....
4. I topolini amici di Topo Gigio si chiamano ....
5. Chi è Gina? ....

29 **Dopo aver svolto l'attività 26, inserisci i nomi sotto gli aggettivi, come nell'esempio in blu.** Lettura focalizzata ●●

spaziale	giallo	allegri
nave	....	....
migliori	sensibile	nuova
....	....	....
cattivo	azzurri	lunghissimi
....	....	....

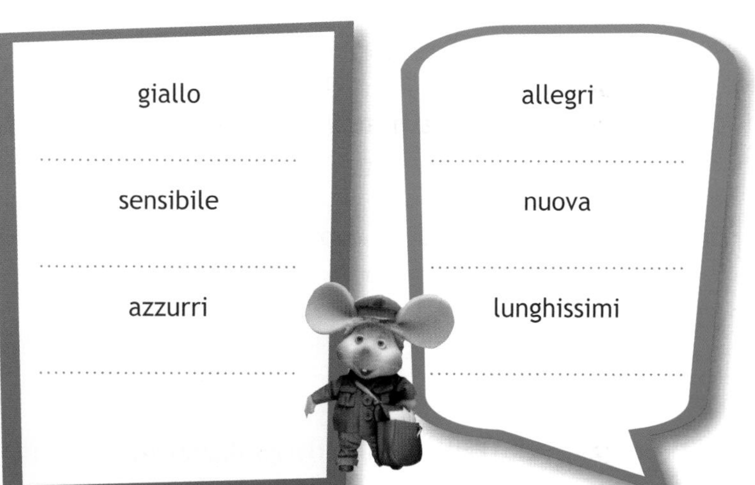

30 7 ***Il giorno della laurea*. Ascolta il testo e trascrivi le parole mancanti, come nell'esempio in blu.** Trascrizione ●

Il giorno della laurea (1) avete di fronte una .... (2) e composta commissione di professori. Per presentare la tesi avete poco .... (3), in genere 15-20 minuti per convincere la commissione che avete fatto un buon .... (4). Per dare una buona .... (5) alla commissione, vediamo qualche semplice e .... (6) consiglio. Prima di tutto i vestiti possono essere classici o sportivi ma semplici. Di solito i professori hanno molti più anni e sono più .... (7) di voi; quindi per quel giorno è meglio non indossare vestiti troppo strani o .... (8). Anche se non volete mettere .... (9) e cravatta per i ragazzi o tailleur per le ragazze, cercate però di evitare i jeans e le scarpe da .... (10)

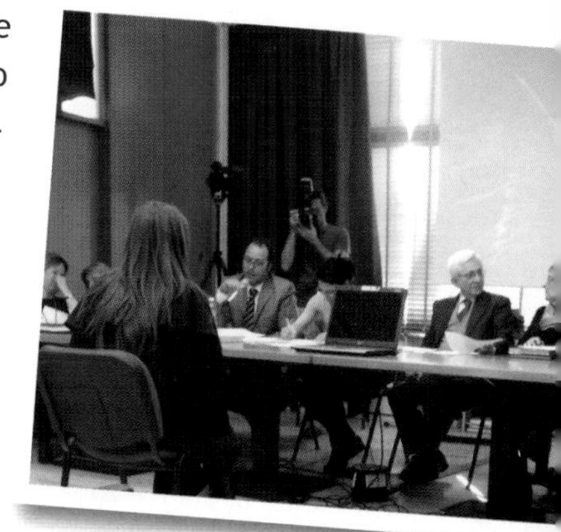

e indossate una .... (11) pulita e stirata. Se potete, durante la discussione della tesi, usate delle .... (12) diapositive al computer che vi possono aiutare a ricordare meglio gli argomenti. Se il pc quel giorno non funziona, non dovete essere .... (13) o impauriti ma continuate a parlare anche senza le diapositive. Il .... (14) migliore è quello di stare .... (15); voi sapete della vostra tesi molto più di tutti i professori della commissione: avete lavorato tanto e sapete benissimo cosa dovete dire. Di sicuro, il giorno della laurea, è sempre .... (16).

31 Dopo aver svolto l'attività 30, riferisci alla classe cosa hai capito. Lettura autentica ●●

32 Dopo aver svolto l'attività 30, rispondi alle domande o completa le frasi. Lettura attiva ●●

1. Come è la commissione? ....
2. Il tempo per presentare la tesi è ....
3. Che tipo di abbigliamento è meglio indossare il giorno della discussione? ....
4. Per la discussione della tesi è meglio non indossare ....
5. Cosa si può usare durante la presentazione della tesi e perché? ....
6. Il consiglio migliore ....

➲ **Ora fai tu una domanda a un tuo compagno di classe.**

33 Dopo aver svolto l'attività 30, scrivi gli aggettivi corrispondenti ai seguenti nomi, come nell'esempio in blu. Attenzione: a un nome possono riferirsi più aggettivi! Lettura focalizzata ●

commissione	lavoro	impressione
severa	....	....
....	....	....
consiglio	**vestiti**	**professori**
....	....	....
....	....	....
camicia	**diapositive**	**il giorno della laurea**
....	....	....
....	....	....

34 *Prima lezione di italiano*. **Ascolta il testo e riferisci alla classe cosa hai capito.** — Ascolto rilassato ●●

35 **Ascolta il testo** *Prima lezione di italiano* **(34) e rispondi alle domande o completa le frasi.** — Ascolto attivo ●

1. Come è Pedro il primo giorno di lezione? ....
....
2. Come è l'aula? ....
....
3. Quanti sono in tutto gli studenti? ....
....
4. Il professore ....
....
5. Pedro ....
6. Dove sono seduti gli studenti? ....
....

➲ **Ora fai tu una domanda a un tuo compagno di classe.**

36 **Ascolta il testo** *Prima lezione di italiano* **(34) e indica con ✓ gli aggettivi corrispondenti alle varie persone.** — Ascolto analitico ●

	Professore	Pedro	Hans	Dìmitra	Qian	Edna
contento						
giovane						
sportivo						
sportiva						
tedesco						
alto						
alta						
felice						
greca						
cinese						
brasiliana						
allegra						
spagnolo						

37 (8) **Ascolta di nuovo il testo *Prima lezione di italiano* (34) e segna con ✓ le caratteristiche corrispondenti alle varie persone.**

Ascolto analitico ●

	Pedro	Hans	Dìmitra	Qian	Edna	Professore
occhi chiari	⬢	⬢	⬢	⬢	⬢	⬢
occhi scuri	⬢	⬢	⬢	⬢	⬢	⬢
capelli biondi	⬢	⬢	⬢	⬢	⬢	⬢
capelli scuri	⬢	⬢	⬢	⬢	⬢	⬢
capelli corti	⬢	⬢	⬢	⬢	⬢	⬢
capelli lunghi	⬢	⬢	⬢	⬢	⬢	⬢
porta gli occhiali	⬢	⬢	⬢	⬢	⬢	⬢

38 (9) ***Un albergo rumoroso*. Ascolta il testo e riferisci alla classe cosa hai capito.**

Ascolto rilassato ●●

39 (9) **Ascolta il testo *Un albergo rumoroso* (38) e rispondi alle domande o completa le frasi.**

Ascolto attivo ●●

1. Il sig. Cecchini vuole ....
2. Che tipo di camera è la 247? ....
....
3. Via Nazionale è ....
....
4. Che tipo di camera è la 102? ....
....
5. Il portiere può fare ....
....
6. Perché il sig. Cecchini cerca una farmacia? ....
....

➲ **Ora fai tu una domanda a un tuo compagno di classe.**

40 **Ascolta di nuovo il testo *Un albergo rumoroso* (38) e segna con ✓ le informazioni corrispondenti alle due camere.** Ascolto analitico

	102	247
I piano	◯	◯
II piano	◯	◯
esterno	◯	◯
interno	◯	◯
singola	◯	◯
doppia	◯	◯
con bagno	◯	◯
senza bagno	◯	◯

41 **Riordina le seguenti frasi, come nell'esempio in blu.** Riordino

1. elegante molto una marrone ho borsa
   Ho una borsa marrone molto elegante.
2. città macchine ci in sono molte
   ....
3. una calda è giornata oggi bella e
   ....
4. rosso ho sportiva e una colore di macchina
   ....
5. pronuncia questi stranieri una particolare hanno ragazzi
   ....
6. gialle ha le camera di pareti la Alessandra
   ....
7. caldo fa e oggi molta ho sete
   ....
8. ragazza gli capelli e lunghi una azzurri i bella con è occhi
   ....
9. Venezia l' treni ? per avete dei orario
   ....
10. molti fortunato perché un ho sono amici ragazzo
    ....

42 ***Le differenze.*** **Descrivi il tavolo A e il tavolo B indicando le differenze che vedi, come nell'esempio in blu.** Transcodifica ●

Sul tavolo A c'è una bottiglia grande e rossa; sul tavolo B ci sono due bottiglie più piccole: una è gialla e una è celeste.

43 **Scrivi delle frasi con nomi e aggettivi accordati, come nell'esempio in blu.** Composizione ●●

1. La mia città è piccola ma molto bella, antica e interessante.
2. ....
3. ....
4. ....
5. ....
6. ....
7. ....
8. ....
9. ....
10. ....

44 **Fai alcune delle seguenti domande a un tuo compagno di classe e poi rispondi alle sue.** Esposizione ●●

1. Come ti chiami e di dove sei?
2. A che ora e in quali giorni hai lezione di italiano?
3. Puoi indicare almeno tre aggettivi per ognuno dei seguenti nomi: libro, treno, casa, città, cane o gatto, festa, vacanza, persona?
4. In quale stagione è meglio visitare la tua città?
5. A che piano è il tuo appartamento?
6. Quali sono i colori della bandiera del tuo paese?
7. Qual è il tuo colore preferito? Puoi indicare il colore di 5 oggetti intorno a te?
8. Chi è il tuo migliore amico / la tua migliore amica? Com'è? Cosa ti piace di più di lui/lei?
9. Quando sono le feste più importanti nel tuo paese?

Parlare di oggi:
indicativo presente

Tabella 15. Osserviamo

VERBI REGOLARI

	-ARE		-ERE		-IRE			
					gruppo a		gruppo b	
	parlare		scrivere		dormire		finire	
io	parl- guard- cammin-	-o	scriv- prend- ved-	-o	dorm- sent- part-	-o	fin- cap- prefer-	-isco
tu		-i		-i		-i		-isci
lui/lei/Lei		-a		-e		-e		-isce
noi		-iamo		-iamo		-iamo		-iamo
voi		-ate		-ete		-ite		-ite
loro		-ano		-ono		-ono		-iscono

I verbi in **-are** che finiscono in:
- **-care** (es. *cercare*) e **-gare** (es. *pagare*) si scrivono con **h** davanti alla **i**: *tu cerchi, paghi; noi cerchiamo, paghiamo*;
- **-iare**, davanti alle desinenze che iniziano per **i**, eliminano la **i** della radice quando non è accentata (es. *mangiare*): *tu mangi*, *noi mangiamo*; invece la mantengono quando è accentata (es. *inviare*): *tu invii*.

Quante coniugazioni verbali esistono in italiano? Come si riconoscono questi gruppi l'uno dall'altro? Che caratteristica hanno i verbi in *-ire*?

1 Individua a quale coniugazione appartengono i verbi delle seguenti frasi, come nell'esempio in blu. Individuazione

	-are	-ere	-ire a	-ire b
1. Lei cammina piano piano.	✓	○	○	○
2. Noi prendiamo un caffè; lo prendete anche voi?	○	○	○	○
3. La lezione comincia fra un'ora.	○	○	○	○
4. Loro capiscono abbastanza bene l'italiano.	○	○	○	○

	-are	-ere	-ire a	-ire b
5. Io parto domani e voi quando partite?	○	○	✓	○
6. Preferisci il mare o la montagna?	○	○	○	✓
7. Voi scrivete spesso a Giorgio?	○	✓	○	○
8. Fra poco finisco di fare i compiti.	○	○	○	✓

2 Completa la tabella con le forme corrette dei verbi e poi cerca di memorizzarle. Completamento

	amare	*credere*	*partire*	*capire*
io	amo	credo	parto	capisco
tu	ami	credi	parti	capisci
lui/lei/Lei	ama	crede	parte	capisce
noi	amiamo	crediamo	partiamo	capiamo
voi	amate	credete	partite	capite
loro	amano	credono	partono	capiscono

Tabella 16. Osserviamo

VERBI IRREGOLARI

dare	stare	fare	andare	bere	rimanere
do dai dà diamo date danno	sto stai sta stiamo state stanno	faccio fai fa facciamo fate fanno	vado vai va andiamo andate vanno	bevo bevi beve beviamo bevete bevono	rimango rimani rimane rimaniamo rimanete rimangono
tenere	**dire**	**venire**	**uscire**	**salire**	**tradurre**
tengo tieni tiene teniamo tenete tengono	dico dici dice diciamo dite dicono	vengo vieni viene veniamo venite vengono	esco esci esce usciamo uscite escono	salgo sali sale saliamo salite salgono	traduco traduci traduce traduciamo traducete traducono

3 Leggi le seguenti frasi e indica se i verbi sono regolari o irregolari, come nell'esempio in blu.

Individuazione

	verbo regolare	verbo irregolare
1. Vado spesso al cinema.		✓
2. Silvia lavora in una società americana.		
3. Rita insegna in un liceo.		
4. Lucia e Franco escono poco la sera.		
5. Come state oggi?		
6. Vieni da me stasera?		
7. Parla molte lingue.		
8. Cosa prepari per cena?		
9. Domani facciamo una festa.		
10. Mi dà un biglietto per favore?		
11. Salgo a piedi perché abito al primo piano.		
12. Guardano spesso i programmi sportivi.		

4 Abbina le due colonne, come nell'esempio in blu. (verbi regolari)

Abbinamento

1. Vivi a Roma?	a. Il professor Merisi.
2. A che ora parte il treno?	b. 45 euro.
3. Perché non studi?	c. No, a Viterbo.
4. Parli francese?	d. Al parcheggio.
5. Chi cerca?	e. Domani pomeriggio.
6. Che cosa guardi?	f. Sono stanco.
7. Quanto costa questa borsa?	g. Un'email al computer.
8. Come andate a Venezia?	h. Un caffè, grazie.
9. Dove lasci l'auto?	i. Alle 15.30.
10. Quando arrivano i tuoi amici?	l. Vecchie fotografie.
11. Che prendete?	m. In treno.
12. Che cosa scrivi?	n. Sì, ma non bene.

5 **Abbina le due colonne, come nell'esempio in blu. (verbi irregolari)**

Abbinamento

1. Cosa bevi?
2. A che piano andate?
3. Quando date gli esami?
4. Quanto tempo rimangono?
5. Che lavoro fai?
6. Come state?
7. Dove vanno?
8. Venite al cinema stasera?
9. Prendete l'ascensore?
10. Escono spesso insieme?
11. Dici la verità?
12. Vai in vacanza al mare?

a. Abbastanza bene, e tu?
b. Il farmacista.
c. Abbiamo già un impegno.
d. No, in montagna.
e. Un succo d'arancia.
f. Al quinto, grazie.
g. Al corso d'italiano.
h. Due settimane.
i. Sì, quasi ogni sera.
l. Sì, sempre.
m. Il prossimo semestre.
n. No, saliamo a piedi.

6 **Abbina le parti di frasi, come nell'esempio in blu. (verbi regolari e irregolari)**

Abbinamento

1. Sono davvero stanco
2. Seguiamo un corso
3. Parlo abbastanza bene
4. Ormai non fate più in tempo
5. Ogni inverno vanno in montagna
6. Faccio il meccanico
7. Mi piacciono tutte le auto sportive
8. Abita a Roma
9. Va in piscina
10. Quest'anno passiamo le vacanze
11. Ascolto sempre il telegiornale
12. Vado alla posta

a. ma preferisco la Ferrari.
b. e ho bisogno di riposare.
c. perché gli piace molto sciare.
d. in una piccola isola greca.
e. l'inglese e il tedesco.
f. a pagare la bolletta.
g. per praticare un po' di nuoto.
h. a venire al cinema con noi.
i. di lingua cinese.
l. per tenermi informato.
m. e lavoro in officina.
n. ma è originario della Sicilia.

7 Abbina ogni professione alla sua attività e alla sua immagine, come nell'esempio in blu.

Abbinamento ●●

La commessa	d	immagine n. 8
La postina	....	....
Il cuoco	....	....
Il fotografo	....	....
Il poliziotto	....	....
L'imbianchino	....	....
Il veterinario	....	....
L'idraulico	....	....
Il deputato	....	....
Il meccanico	....	....
Il benzinaio	....	....
La ballerina	....	....

a. prepara buoni piatti.
b. cura gli animali.
c. vende il carburante.
d. aiuta i clienti in un negozio.
e. danza molto bene.
f. scatta belle fotografie.
g. lavora in Parlamento.
h. consegna la posta.
i. ripara i motori delle macchine.
l. dipinge i muri delle case.
m. ripara le tubature dell'acqua.
n. fa rispettare l'ordine.

8 **Abbina ogni professione alla sua attività e alla sua immagine, come nell'esempio in blu.** Abbinamento ●●

Il professore	e	immagine n. 10
Il calciatore	....	....
Il dottore	....	....
Il vigile del fuoco	....	....
La cantante	....	....
Il muratore	....	....
La conduttrice	....	....
L'assistente di volo	....	....
Il cameriere	....	....
L'indossatrice	....	....
Il direttore	....	....
Il parrucchiere	....	....

a. fa le sfilate di moda.
b. canta canzoni.
c. taglia e pettina i capelli.
d. lavora all'aeroporto o sugli aerei.
e. insegna a scuola.
f. dirige un'azienda.
g. visita e cura i pazienti.
h. gioca a calcio.
i. costruisce edifici.
l. spegne gli incendi.
m. lavora in un ristorante.
n. presenta gli spettacoli.

Tabella 17. Osserviamo

<table>
<tr><th colspan="9">PRESENTE PROGRESSIVO</th></tr>
<tr><th></th><th></th><th></th><th colspan="2">-ARE</th><th colspan="2">-ERE</th><th colspan="2">-IRE</th></tr>
<tr><td>io</td><td rowspan="6">ora, adesso
in questo momento
in questo periodo</td><td>sto</td><td rowspan="6">parl-
guard-
cammin-</td><td rowspan="6">-ando</td><td rowspan="6">scriv-
prend-
ved-</td><td rowspan="6">-endo</td><td rowspan="6">dorm-
part-
fin-</td><td rowspan="6">-endo</td></tr>
<tr><td>tu</td><td>stai</td></tr>
<tr><td>lui/lei/Lei</td><td>sta</td></tr>
<tr><td>noi</td><td>stiamo</td></tr>
<tr><td>voi</td><td>state</td></tr>
<tr><td>loro</td><td>stanno</td></tr>
</table>

bere → **bevendo**; fare → **facendo**; dire → **dicendo**

Qual è la differenza tra **presente** e **presente progressivo**?
Tra *parlo velocemente* e *sto parlando velocemente*?

9 **Leggi le frasi e indica se la forma progressiva è possibile o no, come nell'esempio in blu. Poi prova a spiegare perché.**

	Sì	No
1. Serena lavora molto in questi giorni.	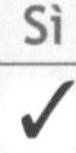	
2. Quanti anni hai?		
3. Dove andate domani sera?		
4. Cosa prepari di buono?		
5. Ma cosa dici, non è vero!		
6. Quando partite per la Grecia?		
7. Siamo davvero felici per te.		
8. Seguo un corso d'informatica.		
9. Mi passi lo zucchero, per favore?		
10. Ha un brutto carattere, si arrabbia facilmente.		
11. In questo periodo fa molto sport.		
12. Le Dolomiti sono delle bellissime montagne italiane.		

10 **Seleziona il verbo necessario a comporre frasi adatte alle immagini, come nell'esempio in blu.**

Selezione ●

piangere • parlare • pensare • chiudere • accendere • viaggiare • ballare ridere • dormire • litigare • giocare • soffiare

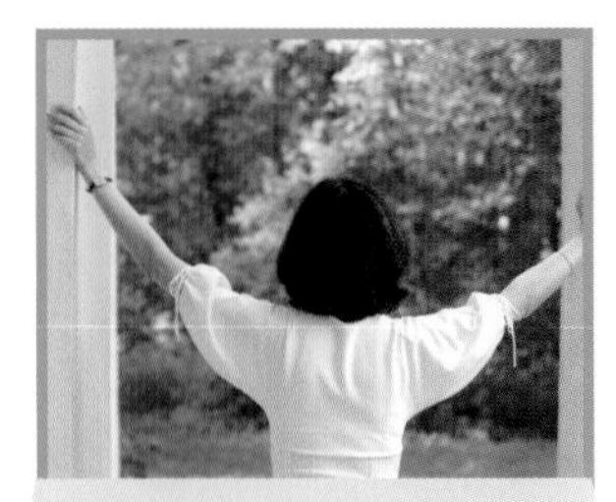

1. Questa ragazza chiude / sta chiudendo la finestra.

2. ....

3. ....

4. ....

5. ....

6. ....

7. ....

8. ....

9. ....

10. ....

11. ....

12. ....

11 **Completa la griglia dei verbi regolari del presente, come nell'esempio in blu.**

Completamento

	io	tu	lui/lei/Lei	noi	voi	loro
1.	....	....	parla	....	....	....
2.	....	....	....	vediamo	....	....
3.	....	prendi	....	....	....	....
4.	....	....	....	....	finite	....
5.	....	....	....	....	....	ascoltano
6.	....	....	....	crediamo	....	....
7.	arrivo	....	....	....	....	....
8.	....	....	preferisce	....	....	....
9.	....	....	....	....	....	sentono
10.	....	....	organizza	....	....	....
11.	scrivo	....	....	....	....	....
12.	....	....	....	....	partite	....

12 **Completa le griglia dei verbi irregolari del presente, come nell'esempio in blu.**

Completamento

	io	tu	lui/lei/Lei	noi	voi	loro
1.	sto	....	....	....	....	....
2.	....	fai	....	....	....	....
3.	....	....	....	....	....	danno
4.	....	....	tiene	....	....	....
5.	....	....	....	....	bevete	....
6.	....	....	....	diciamo	....	....
7.	....	....	viene	....	....	....
8.	....	....	....	....	....	vanno
9.	....	esci	....	....	....	....
10.	....	....	....	rimaniamo	....	....
11.	traduco	....	....	....	....	....
12.	....	....	....	saliamo	....	....

13 Completa i testi con i verbi mancanti, come nell'esempio in blu. Completamento ●●

A. Benam è (1) uno studente turco. .... (2) da Istanbul ma .... (3) a Roma da un anno. .... (4) Economia all'Università di Tor Vergata e .... (5) in un piccolo appartamento con uno studente tedesco che .... (6) di Monaco. .... (7) l'italiano perché .... (8) la ragazza italiana.

B. Ciao, ... (1) Xi, ... (2) 26 anni, ... (3) di Pechino ma .... (4) a Siena da 4 mesi. .... (5) in un negozio di prodotti cinesi e .... (6) con un'altra ragazza cinese che .... (7) Chao. .... (8) l'italiano per lavorare in Italia.

C. Noi .... (1) brasiliani ma .... (2) a Padova con i nostri due figli di 3 e 5 anni. Io .... (3) in un ufficio, ... (4) la segretaria: .... (5) il computer, ... (6) email e .... (7) al telefono. Joao invece .... (8) portoghese all'Università di Padova.

Tabella 18. Osserviamo

VERBI MODALI

	dovere	potere	volere	sapere
io	devo	posso	voglio*	so
tu	devi	puoi	vuoi	sai
lui/lei/Lei	deve	può	vuole	sa
noi	dobbiamo	possiamo	vogliamo	sappiamo
voi	dovete	potete	volete	sapete
loro	devono	possono	vogliono	sanno

* In italiano per chiedere qualcosa in modo gentile o per esprimere un desiderio preferiamo usare **vorrei** al posto di **voglio**: *Buongiorno, vorrei un'informazione...; Vorrei andare al mare.*

14 **Leggi le seguenti frasi e individua la colonna giusta, in base al loro significato, come nell'esempio in blu.**

Individuazione ●

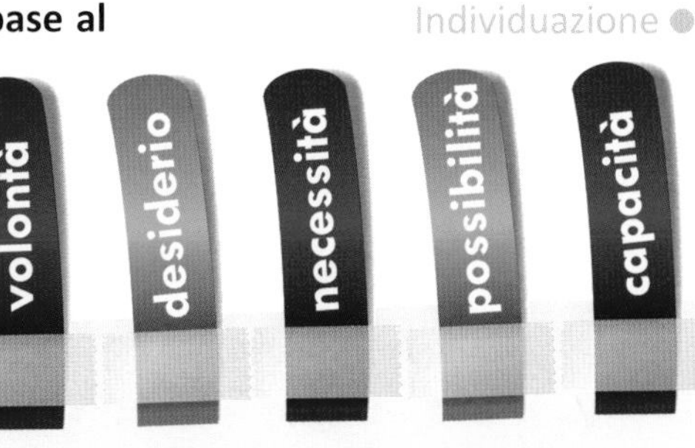

	volontà	desiderio	necessità	possibilità	capacità
1. Se facciamo presto, possiamo arrivare in tempo.				✓	
2. Devo comprare un cellulare nuovo.					
3. Voglio preparare una cena orientale.					
4. Sappiamo parlare molto bene il tedesco.					
5. Non posso uscire, ho l'influenza.					
6. Dobbiamo fare la spesa, il frigo è vuoto.					
7. Lucia non vuole uscire stasera, è molto stanca.					
8. Può telefonare più tardi?					
9. Sai suonare il violino?					
10. Vorrei fare una bella vacanza.					
11. Dovete fare presto, il film sta per cominciare.					
12. Sai leggere gli ideogrammi cinesi?					

15 **Completa le frasi con un verbo modale, come nell'esempio in blu. Ricorda che in alcuni casi è più corretto usare vorrei invece di voglio.**

Completamento ●●

1. Mamma, posso andare al cinema stasera?
2. Scusate, ... ripetere per favore?
3. Buongiorno, (io) .... provare la gonna blu che è in vetrina.
4. ■ (tu) .... uscire con noi domani sera?
   ➢ Mi dispiace, ma .... studiare.
5. .... mangiare un panino o preferite una pizza?
6. Marco e Clara vanno spesso in montagna perché .... sciare benissimo.
7. (noi) .... fare presto altrimenti perdiamo il treno.
8. La prossima estate (io) .... andare in Giordania!
9. Andiamo volentieri a cena da Stefania perché .... cucinare piatti squisiti.
10. Il dottore ha detto che (lui/lei) .... fare più sport se .... dimagrire.
11. Non .... venire alla festa di Fabio perché abbiamo un altro impegno.
12. Ragazzi, ... riconoscere un gatto persiano da uno siamese?

16 ***Promemoria sul post-it*. Completa le frasi con un verbo modale, come nell'esempio in blu.** Completamento ●●

A

X Paola e Sara
X il mio compleanno voglio/vorrei (1) fare una festa, ma non ho tempo. .... (2) aiutarmi? Non .... (3) se invitare anche quell'antipatico di Alberto e .... (4) avere un vostro consiglio, Sabi.

B

X Sabina
Stamattina non .... (5) andare a fare la spesa perché .... (6) andare dal dottore. Grazie ☺ Paola.

C

X Bea
Mio cugino Luca ha preso un votaccio a francese. Siccome tu .... (7) parlare il francese molto bene, gli .... (8) qualche ripetizione? .... (9) assolutamente prendere un bel voto al prossimo compito. Fammi sapere, Paola.

D

X Lidia e Franca
Oggi è nato Lorenzo, il figlio di Dania e Massimo. Io penso di fargli un regalo e se voi .... (10), ... (11) farlo tutte insieme. Ci .... (12) vedere stasera così ci mettiamo d'accordo? Baci, Elena.

17 **Seleziona e coniuga il verbo adatto a ricostruire le frasi, come nell'esempio in blu.** Selezione ●

sapere | **potere** | **conoscere**

1. Non sa come arrivare in albergo perché non .... la strada.
2. Non .... come inviare l'email perché il suo pc è rotto e non .... usarlo.
3. Non .... se arrivo in tempo perché non .... uscire prima delle 19.
4. .... un dentista bravo e non troppo caro? Non .... spendere tanto.
5. (noi).............................. che hanno un figlio di appena un anno che ancora non parla.
6. .... che Diana parla bene il cinese, mentre io non lo .... affatto.

7. Stefania .... bene Londra e .... che lì la vita è molto cara.
8. Non (noi) .... il tuo amico ma .... che è ingegnere.
9. .... Daniele e Laura da un anno e (io) .... dire che sono brave persone.
10. Marco non .... questo ristorante ma .... che si mangia bene.
11. Non (lui) .... la Nuova Zelanda; .... solo che è un'isola e una monarchia.
12. .... guidare ma non .... perché ancora non ho la patente.

Il verbo **sapere** non si può usare con i nomi propri. Diciamo, ad esempio, *Conosco Maria, Roma, l'Italia ecc*, ma **NON** possiamo dire *So Maria, Roma, l'Italia ecc.*
Il verbo **conoscere** non si può usare con i verbi all'infinito e con le frasi. Diciamo, ad esempio, *So guidare, so che studia economia*, ma **NON** possiamo dire *Conosco guidare, conosco che studia economia.*

Tabella 19. Osserviamo

VERBI RIFLESSIVI E PRONOMINALI									
		-ARSI		-ERSI		-IRSI gruppo a		-IRSI gruppo b	
		alzarsi		nascondersi		vestirsi		stupirsi	
io	mi	alz-	-o	nascond-	-o	vest-	-o	stup-	-isco
tu	ti		-i		-i		-i		-isci
lui/lei/Lei	si		-a		-e		-e		-isce
noi	ci		-iamo		-iamo		-iamo		-iamo
voi	vi		-ate		-ete		-ite		-ite
loro	si		-ano		-ono		-ono		-iscono

18 Abbina i verbi riflessivi alle immagini, come nell'esempio in blu. Selezione

lavarsi • vergognarsi • alzarsi • baciarsi • pesarsi • arrabbiarsi
picchiarsi • svegliarsi • nascondersi • asciugarsi • tuffarsi • arrampicarsi

1. svegliarsi

2. ....

3. ....

4. ....

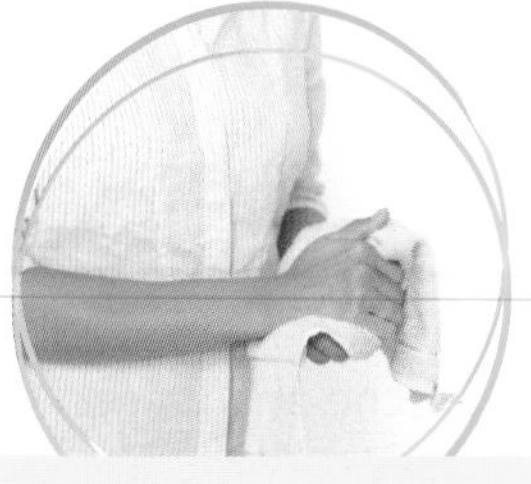

5. ....
6. ....
7. ....
8. ....

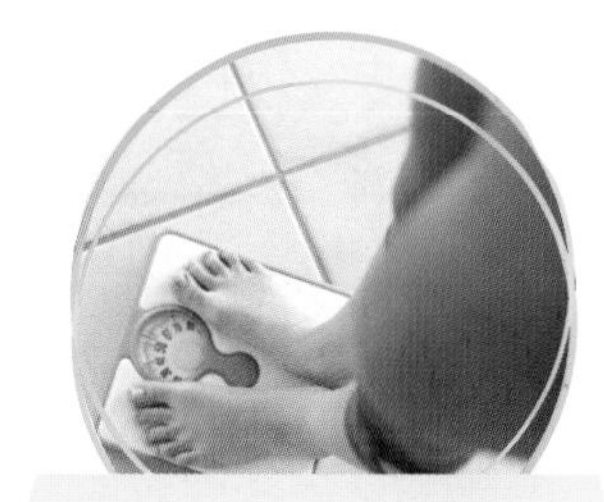

9. ....
10. ....
11. ....
12. ....

19 Integra le frasi usando verbi al presente, come nell'esempio in blu.

Integrazione ●●

1. Di solito a colazione prendo un caffè e un cornetto.
2. L'ufficio apre alle 8.00 e ....
3. Nella mia classe ....
4. Abito a Roma ma ....
5. In Inghilterra gli automobilisti ....
6. Quando esco con gli amici ....
7. Vado a scuola a piedi ....
8. Vado a comprare il giornale e poi ....
9. Prima pulisco la mia stanza, dopo ....
10. Oggi è una bella giornata ....
11. Per andare a Ferrara ....
12. Per il mio compleanno ....

20 *La giornata di Sabina.* Descrivi la giornata di Sabina, utilizza le informazioni che trovi sotto, come nell'esempio in blu.

Integrazione ●●

7.30: sveglia, bagno (dire cosa fa), vestirsi • **8.00:** autobus • **8.20:** bar, colazione
9.00: ufficio (dire cosa fa) • **13.00:** pausa, mensa coi colleghi
14.00: ufficio • **18.45:** casa • **19.00:** lezione di pianoforte
verso 20.00: cena, TV • **verso 21.00:** qualche volta cinema - pizzeria - amici
verso 23.30: casa • **verso 24.00:** letto

Alle 7.30 Sabina si sveglia ....
....
....
....
....
....
....
....
....
....
....

21 Descrivi le persone che vedi nelle foto. Usa le informazioni, i verbi al presente e gli elementi che ritieni necessari.

Integrazione ●●

a.
Nome e cognome: Francesco Totti
Famiglia: sposato, due figli
Città: Roma
Professione: calciatore
Tempo libero: cinema, tennis

....
....
....
....
....
....
....
....
....
....
....
....

b.
Nome e cognome: Monica Bellucci
Famiglia: separata, due figli
Città: Città di Castello (Perugia) e Parigi
Professione: modella e attrice
Tempo libero: lettura, musica classica, palestra

....
....
....
....
....
....

22 Incolla la foto di una persona e descrivi le sue abitudini. Devi usare circa 50-60 parole. Espansione ●●

....
....
....
....
....
....
....
....
....

23 Riordina le informazioni relative alla città che vedete in basso, come nell'esempio in blu, e indovina che città è. Riordino ●

1. greca una è origine città di — È una città di origine greca.
2. trova del Italia si nell' Sud ....
3. vicino famoso un c'è vulcano ....
4. Vesuvio si questo chiama vulcano ....
5. mite il clima è molto ....
6. è anche il bello mare molto ....
7. musicale qui dialetto parla la un gente ....
8. ha città tanti questa monumenti ....
9. traffico a volte caotico il è veramente ....
10. sua è la mondo famosa nel pizza ....

La città è ....

24 *In treno.* **Riordina nella giusta sequenza il dialogo, come nell'esempio in blu.**

Riordino ●

a. Piacere, io mi chiamo Luisa e sono di Firenze.
b. Capisco, che lavoro fai?
c. No, stavolta mi fermo solo pochi giorni.
d. Scusa, è libero questo posto?
e. Sì, prego, accomodati.
f. Anche a me piace l'arte. Rimani molto tempo qui in Italia?
g. Bellissima città, ci vado spesso perché mi piace molto l'arte italiana.
h. Beh, allora buona vacanza!
i. Come mai?
l. Grazie. Permetti? Io mi chiamo Pedro e vengo da Madrid.
m. Perché ho un impegno di lavoro.
n. Lavoro in un'agenzia turistica.

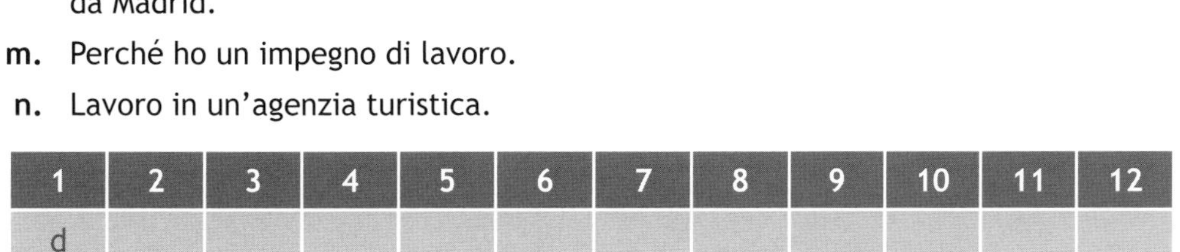

1	2	3	4	5	6	7	8	9	10	11	12
d											

25 **Nel seguente testo ci sono 10 verbi sbagliati. Scrivili nella griglia e correggili, come nell'esempio.**

Correzione ●●

Cara Stefania,
come sta? Io sto bene e Roma mi piaccio molto. È veramente una città incantevole. Mi trovo qui perché sono studiando all'università per un semestre. Per fortuna ho pochi corsi da frequentare così posso visito la città. Non so parlare bene ma impara ogni giorno parole nuove. Mi svegliaro sempre verso le 7.00, bevo un bel caffè e se non ando all'università, rimano a casa a studiare. Qualche volta vado al mercato vicino casa perché la verdura e la frutta costa meno. Spesso ascolto la radio e qualche volta guardo la TV. Altre volte vado a fare una passeggiata e visito i monumenti di Roma. La sera prendono di solito un aperitivo con gli altri studenti dell'università oppure andiamo tutti insieme a mangiare una pizza. Spero di sentirti presto!
Baci, Delphine

	1	2	3	4	5	6	7	8	9	10
Forma sbagliata	sta									
Forma corretta	stai									

26  ***Messaggi in segreteria*. Ascolta i seguenti messaggi e individua la risposta corretta.** Individuazione

A. **Pietro telefona per**
1. parlare del film.
2. invitare Maria al cinema.
3. chiedere che film c'è al cinema.

B. **Rita chiama per**
1. salutare Matteo.
2. andare ad una festa con Matteo.
3. dire che non può andare alla festa di Matteo.

C. **La persona che parla vuole sapere se il signor Beruschi**
1. vuole cambiare la camera doppia con una singola.
2. può andare in un altro albergo.
3. può venire un altro giorno.

D. **La moglie dice a Franco che**
1. il frigo è vuoto.
2. il frigo è rotto.
3. deve comprare il latte.

27 **Leggi le tre presentazioni e individua nella griglia a chi si riferiscono le informazioni, come nell'esempio in blu.** Individuazione

Mi chiamo Louiselle e sono una signora francese. Insegno musica in una scuola media e a casa ho un bel pianoforte che suono tutti i giorni per almeno un'ora. Amo molto la musica classica e l'opera italiana e per questo conosco un po' di lingua italiana. Mi piace la cucina italiana e qualche volta vado a mangiare una pizza con le mie amiche.

Mi chiamo Alexis e sono un ragazzo greco. Frequento la facoltà di Scienze dello spettacolo perché voglio diventare regista. Studio anche la lingua italiana perché mi piace il cinema italiano. Nel tempo libero vado in spiaggia o in piscina e mi incontro con i miei amici. Amo viaggiare, specie in paesi caldi come il mio dove c'è anche il mare.

Mi chiamo Filippa e sono una ragazza svedese. Studio la lingua italiana perché ho origini italiane. Infatti, mia nonna era italiana e vorrei conoscere meglio la cultura di questo paese.
Mi piace leggere, ascoltare musica e andare in discoteca. Spesso in estate vado in Italia a trovare i miei parenti italiani.

	Louiselle	Alexis	Filippa
1. Studia all'università.		✓	
2. Lavora a scuola.			
3. Suona uno strumento.			
4. Guarda film italiani.			
5. Ama i viaggi.			
6. Ha parenti italiani.			
7. Fa nuoto.			
8. Vuole conoscere di più la cultura italiana.			
9. Ama la musica lirica.			
10. Le piace ballare.			

28 ***Alla festa di Monica.*** **Con un tuo compagno di classe drammatizza il dialogo fra Simone (S) e Laura (L). Ricorda che ad ogni battuta devi usare almeno un verbo.** Drammatizzazione ●●

1.	S vede L, va da lei e chiede se lei è amica di Monica.	L risponde di sì e che è una collega di Monica.
2.	S chiede da quanto tempo L conosce Monica.	L risponde da circa sei mesi.
3.	S si presenta e chiede il nome di L.	L si presenta e chiede a S se anche lui è un amico di Monica.
4.	S risponde di sì ma dice che è più amico di Edoardo, il fratello di Monica.	L chiede a S da quanto tempo conosce Monica.
5.	S dice che conosce Monica da molto tempo e chiede a L se è di Roma.	L risponde che viene da Viterbo ma vive a Roma da circa sei mesi.
6.	S chiede come mai L abita a Roma.	L dice che è venuta a Roma per lavoro.
7.	S chiede a L come si trova a Roma.	L risponde che si trova bene ma preferisce vivere in città più piccole.
8.	S chiede a L perché preferisce le città più piccole.	L dice il perché: le città grandi sono caotiche e gli affitti sono troppo alti.
9.	S dice che capisce L; poi le dice che domani va con alcuni amici al cinema e la invita ad andare con loro.	L chiede che film vanno a vedere.
10.	S dice che è il nuovo film di Ozpetek.	L dice che adora i film di Ozpetek e accetta l'invito.

 **29** **Descrivi le seguenti immagini usando prima il presente semplice e poi il presente progressivo, come nell'esempio in blu.** Transcodifica ●●

1. Queste persone cucinano / stanno cucinando - preparano / stanno preparando un risotto.

2. ....

3. ....

4. ....

5. ....

6. ....

7. ....

8. ....

9. ....

10. ....

11. ....

12. ....

Tabella 20. Osserviamo

PRESENTE CON SIGNIFICATO FUTURO		
	adesso/oggi	fra un'ora/stasera/domani
io	Vado a fare un giro in centro.	
tu	Inizi il corso di italiano.	
lui/lei/Lei	Scrive una lettera al pc.	
noi	Andiamo in discoteca.	
voi	Venite al cinema con noi?	
loro	Partono per le vacanze.	

In italiano il presente indicativo si può usare anche per parlare di azioni future, se specifichiamo **quando** avviene un'azione: *fra un po', fra due ore, domani, sabato prossimo, il prossimo mese* ecc.

30 Leggi le frasi e indica se il significato si riferisce al presente o al futuro, come nell'esempio in blu. Individuazione

	significato presente	significato futuro
1. Fra un'ora parte il treno per Napoli.		✓
2. Domani vado alla mostra su Caravaggio con Fernando.		
3. Ogni giorno Andrea si sveglia presto per andare in ufficio.		
4. L'anno prossimo facciamo un viaggio in Egitto.		
5. Domani sera siete a cena da Claudia?		
6. Non mi piace la musica pop, preferisco il jazz.		
7. Dopo pranzo fumo sempre una sigaretta.		
8. Lavora in un ristorante del centro.		
9. Stefano passa le prossime vacanze di Natale in montagna.		
10. Lo spettacolo comincia fra pochi minuti.		
11. La signora Bini va di solito in palestra il lunedì e il giovedì.		
12. Il mese prossimo inizio il corso di yoga.		

31 Sostituisci gli infiniti con il presente di significato futuro, come nell'esempio in blu.

Sostituzione

Il prossimo fine settimana ho (1. avere) un sacco di cose da fare! Sabato mattina mi .... (2. dovere) svegliare presto per andare alla posta. Dopo .... (3. passare) al supermercato a fare un po' di spesa e se mi .... (4. rimanere) un po' di tempo, ... (5. andare) dalla parrucchiera a fare i capelli. Nel pomeriggio .... (6. dovere) andare alla stazione a prendere i miei amici Renzo e Lucia che .... (7. arrivare) da Bologna. Appena .... (8. arrivare), ... (9. noi-andare) a fare un giro in centro. Domenica, poi, ... (10. noi-stare) tutto il giorno fuori, a visitare i monumenti principali. La sera .... (11. riaccompagnare) i miei amici alla stazione e di corsa .... (12. andare) da Massimo per la sua festa di compleanno. E lunedì di nuovo al lavoro. Aiuto!

32 Sostituisci i verbi tra parentesi con il presente indicativo dei verbi regolari, come negli esempi in blu.

Sostituzione

I coniugazione: verbi in -are

1. Questa borsa (*costare*) costa 80 euro.
2. Il direttore (*parlare*) .... con un cliente.
3. Stasera noi (*restare*) .... a casa, e voi?
4. In questo periodo (io - *studiare*) .... molto.
5. Sara, Luca, dove (*abitare*) ....?
6. I signori Rossi (*arrivare*) .... domani alle 8.
7. Carlo (*telefonare*) .... spesso alla sua fidanzata.
8. Mi scusi, dove (*trovarsi*) .... l'ufficio postale?

II coniugazione: verbi in -ere

1. Matteo, (*rispondere*) rispondi tu al telefono?
2. Il mese prossimo (*prendere*) .... le ferie, sono proprio stanco.
3. Ogni sera (noi - *vedere*) .... il telegiornale.
4. In questo periodo (io - *spendere*) .... troppi soldi.
5. Il mio gatto (*nascondersi*) .... spesso sotto il letto.
6. Per dimagrire Sonia (*correre*) .... un'ora al giorno.
7. Maura (*scrivere*) .... un'email al suo amico inglese.
8. Ragazzi, (*credere*) .... agli extraterrestri?

1. In genere gli uffici (*aprire*) aprono alle 8.30.
2. Quest'anno per martedì grasso (io - *vestirsi*) .... da Arlecchino.
3. I genitori di Claudio (*partire*) .... stasera col treno delle 19.10.
4. Che musica (voi - *sentire*) .... di solito?
5. A che ora (*finire*) .... la lezione?
6. (Io - *capire*) .... bene lo spagnolo ma il francese poco.
7. Adesso (lui - *dormire*) .... e non posso disturbarlo.
8. Domattina (noi - *spedire*) .... il pacco per Carlo.

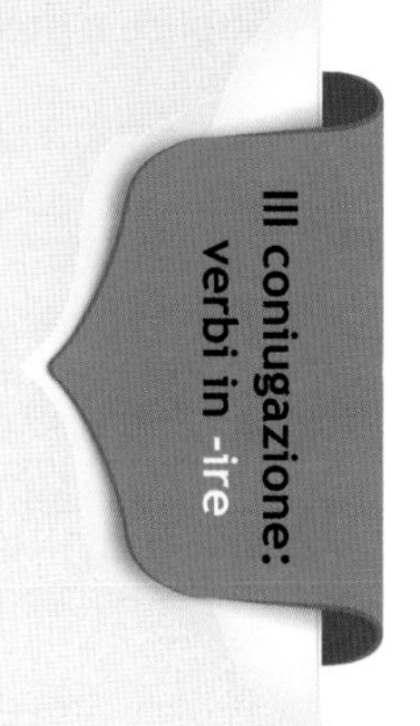

33 ***Attenti ai furbi*. Sostituisci i verbi tra parentesi, scrivi negli spazi in blu il presente semplice e negli spazi in rosso il presente progressivo, come nell'esempio.**

Sostituzione

Un corvo mentre sta passando (1. passare) davanti alla finestra della cucina di una casa .... (2. vedere) un pezzo di formaggio sul tavolo. Così, ... (3. entrare) dalla finestra, lo .... (4. rubare) e soddisfatto .... (5. volare) su un albero.

.... (6. iniziare) a mangiare il formaggio quando .... (7. vedere) passare da sotto l'albero una volpe affamata che .... (8. pensare) a come trovare qualcosa da mangiare. Appena vede il corvo che .... (9. mangiare) il formaggio, le .... (10. venire) un'idea: comincia a parlargli e gli .... (11. dire) "come .... (12. essere) belle e luminose le tue penne, corvo! Come .... (13. essere) elegante quando .... (14. volare). .... (15. essere) sicura che anche la tua voce .... (16. essere) bellissima". Il corvo, stupido e poco intelligente, ... (17. rimanere) tanto affascinato dalle belle parole della volpe che .... (18. aprire) il becco per fare sentire la sua voce e gli .... (19. cadere) subito il formaggio. La volpe, allora, lo .... (20. prendere) al volo, ... (21. allontanarsi) di corsa e .... (22. fermarsi) soltanto per mangiare tutta contenta quel pezzo di formaggio.

34 ***Scrivere un'email.*** **Sostituisci i verbi tra parentesi con il presente semplice o progressivo, come nell'esempio in blu.** Sostituzione ●●

Ciao

A: gianluca@gmail.it
Cc:
Oggetto: Ciao

Caro Gianluca,
come stai(1. stare)? Io .... (2. stare) benissimo e in questo periodo .... (3. frequentare) un corso di italiano a Roma. In questa città .... (4. esserci) tante cose interessanti da vedere, come Piazza di Spagna, la Fontana di Trevi, il Colosseo e il Vaticano. Qui .... (5. esserci) sempre qualcosa da fare e quando non .... (6. avere) lezione .... (7. andare) a vedere un museo, una chiesa o una mostra. La sera .... (8. fare) spesso passeggiate in centro con gli altri compagni del corso e a volte .... (9. andare) tutti insieme in discoteca. Io .... (10. rimanere) a Roma tutto il mese: perché non .... (11. venire) un fine settimana a trovarmi? .... (12. aspettare) tue notizie,
Consuelo

35 ***Rispondere a un'email.*** **Sostituisci i verbi tra parentesi con il presente semplice o progressivo, come nell'esempio in blu.** Sostituzione ●●

Ciao

A: consuelo@gmail.it
Cc:
Oggetto: Re: Ciao

Cara Consuelo,
sono contento di ricevere tue notizie e sapere che sei (1. essere) a Roma. Io qui a Milano .... (2. lavorare) tanto e .... (3. avere) poco tempo libero. Come .... (4. potere) immaginare, in questo periodo non .... (5. riuscire) a venire a Roma ma .... (6. volere) farti una proposta anch'io: perché non .... (7. prendere) il Frecciarossa e .... (8. venire) a Milano un fine settimana? Così .... (9. andare) a vedere le cose più interessanti della città. Poi questa estate .... (10. venire) io a trovarti a Madrid. Ti .... (11. abbracciare) e .... (12. aspettare) una tua risposta,
Gianluca

36 *La mia giornata*. Indica in quale parte del giorno fai queste cose e poi racconta come passi una tua giornata.

Interpretazione ●●

	Fare colazione	Fare la doccia / vestirsi	Cenare	Andare al lavoro	Studiare	Pulire casa	Pranzare	Riposarsi	Bere un caffè	Fare la spesa	Leggere un libro	Fare shopping	Allenarsi in palestra	Guardare la TV	Ascoltare musica	Chattare con amici	Andare a letto	Uscire con amici	Andare al cinema
mattina																			
pomeriggio																			
sera																			

La mattina ....

....

Il pomeriggio ....

....

La sera ....

....

37 (11) *Lo stato più piccolo del mondo*. Ascolta il testo e scrivi le parole mancanti, come nell'esempio in blu.

Trascrizione ●

Il più piccolo stato del mondo è (1) il Vaticano. Nel suo piccolissimo territorio .... (2) però immense ricchezze artistiche. Lo stato infatti .... (3) la Basilica di San Pietro, i Palazzi Vaticani dove .... (4) il Papa, i musei e le biblioteche che .... (5) libri antichissimi. Nel Vaticano .... (6) anche la Cappella Sistina, famosa in tutto il mondo per gli affreschi di Michelangelo che .... (7) il giudizio universale. Lo Stato del Vaticano .... (8) il centro della chiesa cattolica di tutto il mondo. Nei suoi splendidi palazzi .... (9) molti religiosi che .... (10) contatti con quasi tutti i paesi del mondo. Ogni anno milioni di fedeli .... (11) qui da ogni parte del mondo ma le visite .... (12) moltissimo in occasioni particolari e rare come il Giubileo che c'è ogni 25 anni e .... (13) tutto l'anno. Lo Stato del Vaticano ha una sua moneta, ... (14) i suoi francobolli e .... (15) anche una piccola stazione ferroviaria.

38 **Dopo aver svolto l'attività 37, riferisci alla classe cosa hai capito.** Lettura autentica

39 **Dopo aver svolto l'attività 37, rispondi alle domande o completa le frasi.** Lettura attiva

1. Lo Stato del Vaticano comprende ....
2. Perché è famosa la Cappella Sistina? ....
3. Lo Stato del Vaticano è ....
4. Chi lavora nei suoi palazzi? ....
5. Ogni anno ....
6. Cosa ha la Città del Vaticano? ....

➲ **Ora fai tu una domanda a un tuo compagno di classe.**

40 **Dopo aver svolto l'attività 37, inserisci correttamente i verbi nella tabella, come nell'esempio in blu.** Lettura focalizzata

-ARE	-IRE

-ERE	IRREGOLARI
	è

41 Ascolta il testo *La felicità è...* e riferisci alla classe cosa hai capito. Ascolto rilassato ●●

42 Ascolta il testo *La felicità è...* (41) e rispondi alle seguenti domande o completa correttamente le frasi. Ascolto attivo ●●

1. Dove abita Serena? ....
2. Che lavoro fa? ....
3. Serena è felice quando ....
4. Che cosa fa Luca a Berlino? ....
5. Per stare in forma Luca ....
6. Perché Luca è felice adesso? ....

➲ **Ora fai tu una domanda a un tuo compagno di classe.**

43 Ascolta il testo *La felicità è...* (41) e scrivi i verbi che si riferiscono a Serena e Luca, come nell'esempio in blu. Ascolto analitico ●

Serena		Luca		
sono	....	....	....	....
....	....	....	....	....
....	....	....	....	....
....	....	....	....	

44 **Scrivi come passi di solito una tua giornata o come passa una giornata una persona che conosci bene. Devi usare circa 50-60 parole.**

Composizione ●●

....

....

....

....

....

....

....

....

....

....

....

....

....

45 **Descrivi come è la tua città e quali sono le sue caratteristiche. Devi usare circa 60-80 parole.**

Composizione ●●

....

....

....

....

....

....

....

....

....

....

....

....

....

....

 46 **Fai alcune delle seguenti domande a un tuo compagno di classe e poi rispondi alle sue.**

Esposizione

1. Preferisci passare le vacanze da solo o in compagnia? Perché?
2. Che cosa fai nel tempo libero?
3. Quali cose interessanti ci sono nel tuo paese?
4. Quali sono le cose che fai più volentieri e quelle che fai meno volentieri?
5. Cosa fai di solito per rilassarti dopo una giornata di lavoro o studio?
6. Cosa significa per te essere felice? Puoi fare degli esempi?
7. Cosa fai questa sera?
8. Cosa sai fare?
9. Secondo te, che cosa sta facendo adesso tuo padre / tua madre / tuo fratello / tua sorella?
10. Esprimi tre desideri usando il verbo *vorrei* e spiega perché hai questi desideri.

Unire parole e frasi:
preposizioni e congiunzioni

Tabella 21. Osserviamo

PREPOSIZIONI SEMPLICI	
di	Sono di Firenze. - È il libro di italiano. - È un tavolo di legno.
a	Vorrei andare a casa. - La scuola ricomincia a settembre. - Telefono a Giovanna.
da	Viene da Londra. - Andiamo da Mario. - Studio italiano da due mesi.
in	Lavora in ufficio. - Vado in autobus. - In estate fa molto caldo.
con	Esco con alcuni amici. - Mangio un panino con il prosciutto. - Scrivo con la penna blu.
su	Puoi sederti su questa poltrona. - Non posso dire niente su certi argomenti.
per	Lavora per la famiglia. - Telefono per prenotare una camera. Resto a Firenze (per) due mesi.
tra/fra	Arriviamo tra/fra pochi minuti. Tra/Fra i nostri compagni ci sono anche alcuni stranieri.

Le preposizioni servono a collegare parole e frasi. Sono di vari tipi e hanno vari significati.

 **1** ***La famiglia Verdi*. Abbina le due colonne, come nell'esempio in blu.** Abbinamento

1. La famiglia Verdi vive
2. È composta
3. Il padre è poliziotto e lavora
4. La madre è casalinga e si occupa
5. Il figlio maggiore è commesso
6. Il figlio minore ancora non lavora e va
7. Di solito fanno colazione insieme
8. A pranzo mangiano ognuno
9. La sera invece si riuniscono
10. Dopo cena si siedono
11. Siccome sono stanchi di solito vanno
12. Qualche volta vanno

a. in un negozio.
b. con latte e biscotti.
c. per cenare insieme.
d. per conto proprio.
e. a dormire abbastanza presto.
f. da quattro persone.
g. a scuola.
h. in questura.
i. a vedere un film o a mangiare una pizza.
l. su un bel divano e guardano la tv.
m. di lavori domestici.
n. in una piccola città di provincia.

Tabella 22. Osserviamo

PREPOSIZIONI ARTICOLATE

	il	lo	la	l’	i	gli	le
di	del	dello	della	dell’	dei	degli	delle
a	al	allo	alla	all’	ai	agli	alle
da	dal	dallo	dalla	dall’	dai	dagli	dalle
in	nel	nello	nella	nell’	nei	negli	nelle
con	con il (col)	con lo	con la	con l’	con i (coi)	con gli	con le
su	sul	sullo	sulla	sull’	sui	sugli	sulle
per	per il	per lo	per la	per l’	per i	per gli	per le
tra/fra	tra/fra il	tra/fra lo	tra/fra la	tra/fra l’	tra/fra i	tra/fra gli	tra/fra le

Le preposizioni si possono unire anche agli articoli. La maggior parte delle preposizioni si uniscono agli articoli e formano un’unica parola, ma non tutte. Quali sono le preposizioni che si scrivono separate dall’articolo?

2 **Indica quale significato hanno le preposizioni nelle seguenti frasi, come nell’esempio in blu.**

Individuazione ●●

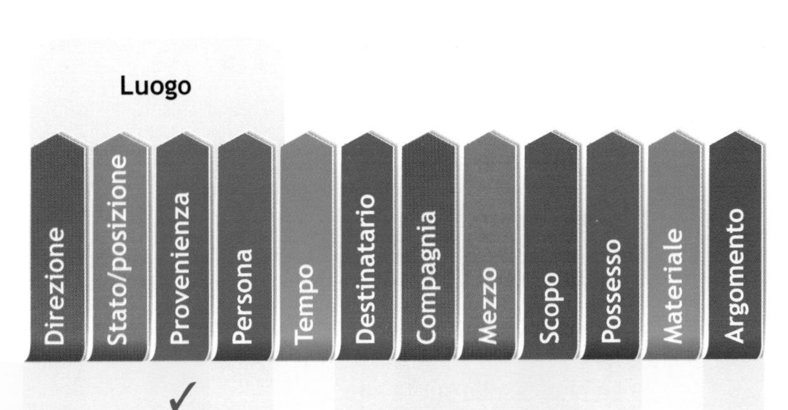

		Direzione	Stato/posizione	Provenienza	Persona	Tempo	Destinatario	Compagnia	Mezzo	Scopo	Possesso	Materiale	Argomento
di	1. Sono di Napoli.			✓									
	2. Questo libro è di Maria.												
	3. È un vaso di cristallo.												
	4. È un libro di grammatica.												

		Luogo											
		Direzione	Stato/posizione	Provenienza	Persona	Tempo	Destinatario	Compagnia	Mezzo	Scopo	Possesso	Materiale	Argomento
a	1. Abita a Roma.												
	2. Il treno va a Torino.												
	3. Il corso inizia a ottobre.												
	4. Regalo una rosa a Luisa.												
	5. Arriviamo alle sette.												
da	1. Devo andare dal dentista.												
	2. Studia canto da due anni.												
	3. L'aereo arriva da Madrid.												
in	1. Vanno in Grecia.												
	2. Vive in Francia.												
	3. Il telefonino è nella borsa.												
	4. In inverno fa freddo.												
	5. È nato nel 1980.												
	6. Viaggiamo in aereo.												
con	1. Vengo con te.												
	2. Lavoro con il computer.												
	3. Partiamo con il treno.												
su	1. Le chiavi sono sul tavolo.												
	2. È un libro sul Barocco.												
per	1. Sono qui per studiare.												
	2. Resto qui per una settimana.												
tra	1. Arrivano fra poco.												
fra	2. La libreria è tra due sedie.												

3 ***Negozi e luoghi pubblici***. **Scrivi la preposizione e il luogo corretti sotto ciascuna immagine, come negli esempi in blu.**

Abbinamento ●●

aeroporto • fermata dell'autobus • banca
benzinaio • cinema • farmacia • ferramenta
ristorante • fioraio • fruttivendolo
gelateria • libreria • ospedale • palestra
panetteria • posta • teatro • supermercato
stazione • università

andiamo...
a in da

1 in/all'aeroporto

2 al ristorante

3 ....../...... ....

4 ....

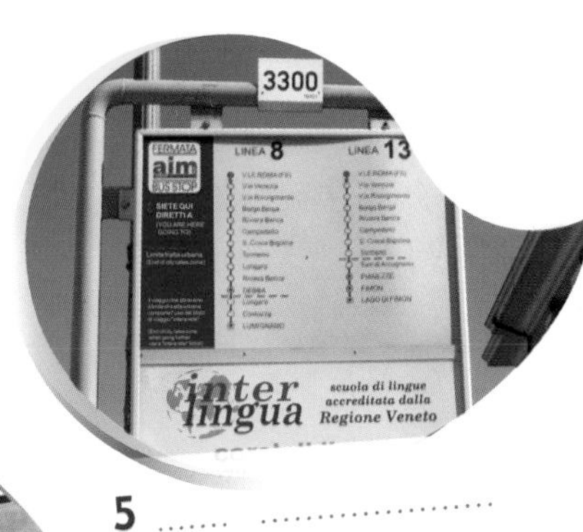

5 ....

6 ....

7 ....

8 ....

9 ....

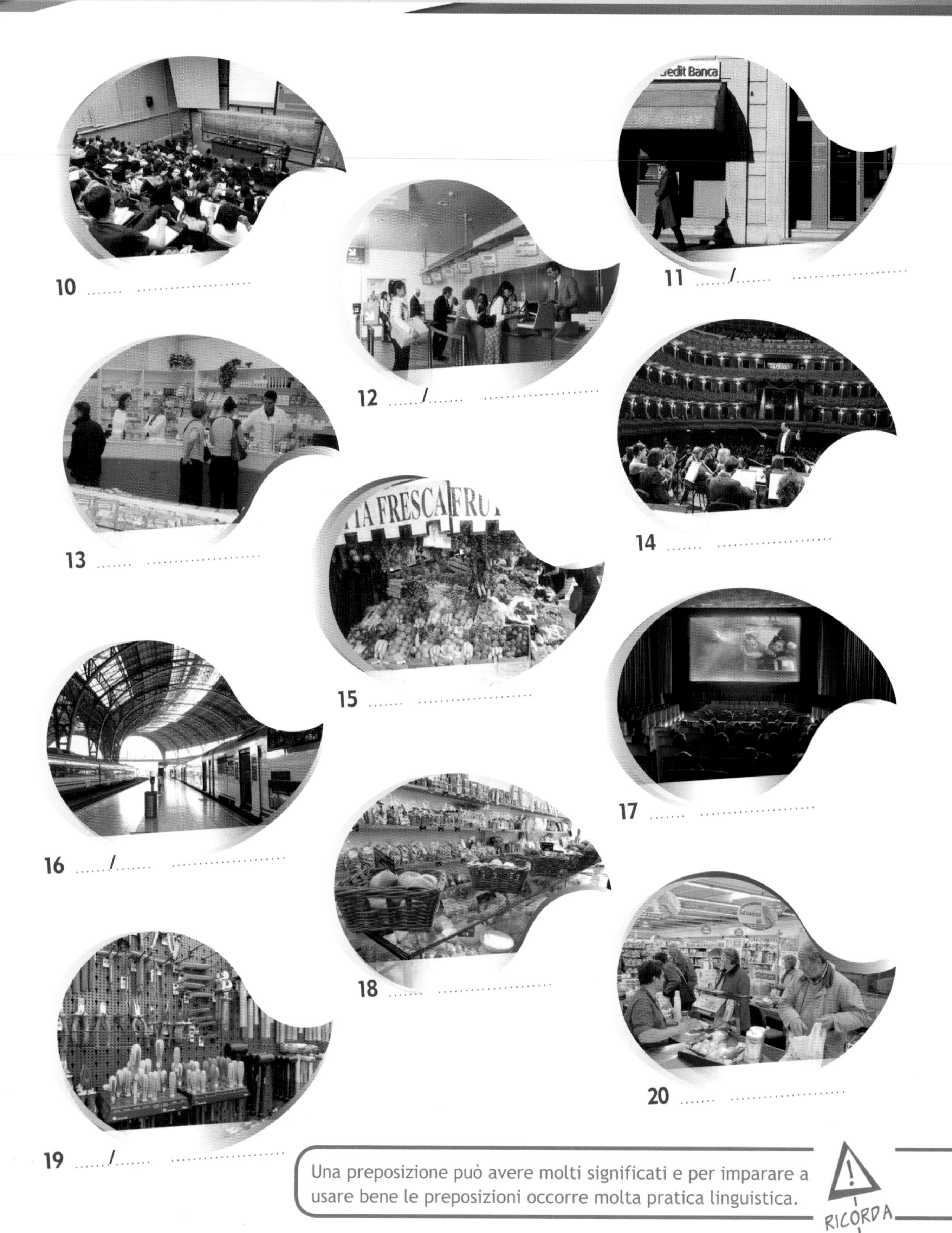

10 ....

11 ..../....... ....

12 ..../....... ....

13 ....

14 ....

15 ....

16 ..../....... ....

17 ....

18 ....

19 ..../....... ....

20 ....

Una preposizione può avere molti significati e per imparare a usare bene le preposizioni occorre molta pratica linguistica.

RICORDA

4 **Completa con le preposizioni semplici o articolate, come nell'esempio in blu.** Completamento ●●

1.	Devo andare	a	Milano	per	motivi di lavoro.
2.	Andiamo	....	vacanza	....	settembre.
3.	L'aereo arriva	....	ritardo,	....	mezz'ora.
4.	Sto scrivendo un'email	....	professore	....	letteratura.
5.	Devo essere	....	dentista	....	quattro.
6.	Devo andare	....	posta	....	pagare la bolletta.
7.	Partiamo	....	le sette e le otto	....	macchina.
8.	Andate	....	biblioteca	....	pomeriggio?
9.	Il portafoglio è	....	tavolo	....	cucina.
10.	Vuoi venire	....	fare un giro	....	centro?

5 **Completa l'avviso con le preposizioni mancanti, come nell'esempio in blu.** Completamento ●

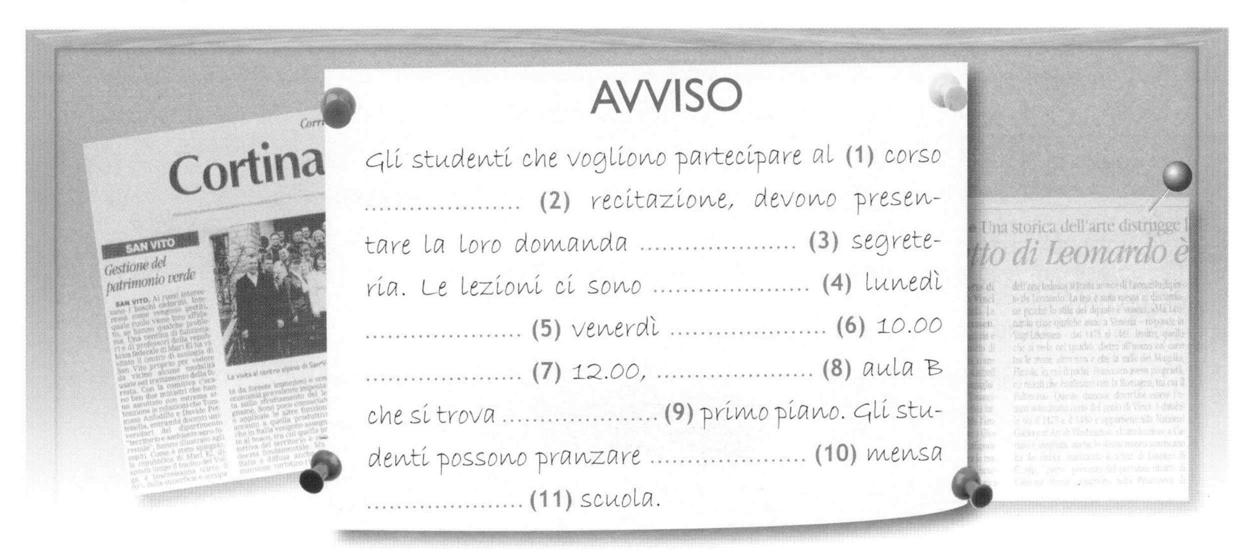

AVVISO

Gli studenti che vogliono partecipare al (1) corso .... (2) recitazione, devono presentare la loro domanda .... (3) segreteria. Le lezioni ci sono .... (4) lunedì .... (5) venerdì .... (6) 10.00 .... (7) 12.00, ... (8) aula B che si trova .... (9) primo piano. Gli studenti possono pranzare .... (10) mensa .... (11) scuola.

Tabella 23. Osserviamo

PREPOSIZIONI IMPROPRIE			
sopra	sotto	dentro	durante
dopo	circa	senza	lungo

Abbinamento ●

6 Abbina le due colonne, come nell'esempio in blu.

1. La farmacia è
2. Ho la casa piccola e devo tenere le valigie
3. Non si possono tenere i cellulari accesi
4. Non posso guidare perché sono
5. A Roma è molto bello passeggiare
6. Non ho orologio ma sono
7. Se ti va bene, posso venire
8. Piove e sono
9. Ogni giorno volano molti aerei
10. Fa molto freddo e la temperatura è
11. La tua borsa è
12. Le mie chiavi sono

a. lungo le rive del Tevere.
b. dopo le otto.
c. senza ombrello.
d. dopo il primo semaforo.
e. durante la lezione.
f. senza patente.
g. sopra le grandi città.
h. sopra la sedia.
i. circa le sette.
l. sotto il letto.
m. dentro la borsa.
n. sotto lo zero.

Tabella 24. Osserviamo

LOCUZIONI PREPOSIZIONALI					
davanti a	dietro (a)	vicino a	lontano da	a destra di	a sinistra di
prima di	insieme a	di fronte a	in mezzo a	in fondo a	fuori (da)

7 Completa con le locuzioni preposizionali adatte, come nell'esempio in blu.

Completamento ●●

1. C'è un centro commerciale vicino al / di fronte al / davanti al /... bar.
2. Abitano in un paese .... città.
3. Il bagno è .... corridoio.
4. La sua camera è .... ascensore.
5. Speriamo di arrivare .... inizio del film.
6. Mi innervosisce rimanere bloccato .... traffico.
7. La farmacia è .... banca.
8. Ci sono molte persone in fila .... biglietteria.
9. Volete venire .... noi stasera?
10. Ha una cassaforte .... un quadro.
11. Si sveglia presto perché abita .... posto di lavoro.
12. È pericoloso attraversare .... strisce pedonali.

8 ***La gelosia*. Completa la storiella con le preposizioni mancanti, come nell'esempio in blu.** Completamento ●●

Giacomo e Luisella sono fidanzati e vivono insieme da (1) qualche mese. Abitano .... (2) una bella zona .... (3) un parco. Sono felici insieme ma sono anche abbastanza gelosi perché ogni mattina arrivano alcuni messaggi .... (4) loro telefonini. Perciò un giorno Giacomo, appena vede che Luisella esce .... (5) camera, apre la borsa .... (6) Luisella e prende il telefonino .... (7) sua fidanzata .... (8) leggere questi messaggi. Anche lei, però, fa la stessa cosa e controlla se ci sono messaggi .... (9) cellulare .... (10) Giacomo. Cosi i due fidanzati scoprono che i messaggi sono solo quelli .... (11) oroscopo .... (12) giorno.

Selezione ●

9 ***La camera di Sonia*. Seleziona le preposizioni e inseriscile nel testo, come nell'esempio in blu.**

La camera di (1) Sonia non è grande ma è molto carina. .... (2) la finestra c'è una scrivania. .... (3) scrivania ci sono un computer e un bel vaso. .... (4) vaso ci sono dei fiori molto belli e profumati. .... (5) la porta e la finestra c'è un armadio; .... (6) armadio ci sono i vestiti e .... (7) armadio c'è una valigia marrone. .... (8) porta c'è il letto. .... (9) letto c'è un comodino e .... (10) comodino ci sono una lampada e un libro. .... (11) questo comodino c'è un bel tappeto e .... (12) il tappeto spesso dorme il gatto.

10 **Leggi il testo dell'attività 9 e disegna la camera di Sonia in base alla descrizione fatta.** Transcodifica ●●

11 **Seleziona le preposizioni e, se necessario, scrivi anche l'articolo come nell'esempio in blu.** Selezione

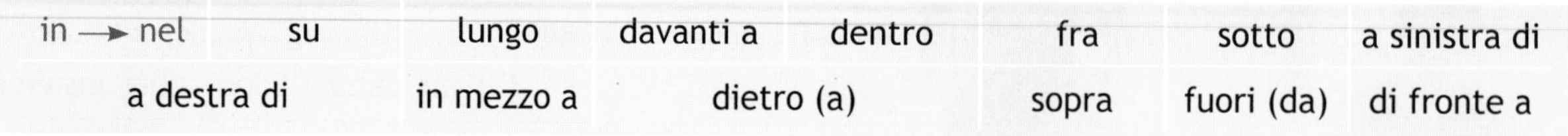

in → nel	su	lungo	davanti a	dentro	fra	sotto	a sinistra di
a destra di	in mezzo a	dietro (a)	sopra	fuori (da)	di fronte a		

1. I fiori sono nel vaso.
2. Il gatto è .... il piumone.
3. Il topo è .... il gatto.
4. L'uccellino .... ramo.

5. La chitarra è .... la schiena.
6. Il ragazzo è .... le due ragazze.
7. Il ragazzo e la ragazza sono l'uno .... altra.

8. Il pesciolino è .... la boccia.
9. Il ragazzo è .... portone.
10. Il pesciolino è .... dalla boccia.
11. Il cane è .... gatto.

12. L'albero è .... casa.
13. I ragazzi vanno in bicicletta .... il fiume.
14. Le pecore sono .... strada.

12 ***Una camera disordinata*. Descrivi le immagini indicando dove sono gli oggetti quando Paolo è in casa e quando non è in casa.**

Transcodifica

13 ***Al bar dell'università.*** **Individua nel dialogo le 10 preposizioni sbagliate. Scrivile nella griglia e correggile come nell'esempio in blu.**

Correzione

A: Ciao Antonella, come mai nell'università? Hai lezione?
B: Ciao Bruno, sì, ho lezione alle 13.
A: Anch'io, ma finisco delle 12. Adesso ho l'intervallo e sono venuto al bar di fare colazione. Prendi qualcosa con me?
B: Volentieri, un caffè e un cornetto.
A: Anch'io. Vuoi dello zucchero sul caffè?
B: Un cucchiaino, grazie.
A: Io invece preferisco il caffè senza zucchero ma per un po'di latte. Allora stai studiando agli esami?
B: Sì, ho ancora tre esami e la tesi di laurea prima a finire.
A: Io invece ho ancora 5 esami e la tesi. Beh adesso devo tornare a classe perché in pochi minuti comincia la seconda ora di lezione.
B: Allora buona lezione e grazie con il caffè.
A: Di niente, a presto.

	sbagliata	corretta
1	nell'università	all'università
2	....	....
3	....	....
4	....	....
5	....	....
6	....	....
7	....	....
8	....	....
9	....	....
10	....	....

14 **Individua la preposizione giusta per ogni frase, come nell'esempio in blu.**

Individuazione

1.	Lavoro qui da pochi mesi.	di	da	a
2.	Usciamo poco .... l'inverno.	circa	lungo	durante
3.	Devo andare alla posta .... pagare la bolletta.	per	di	da
4.	Allora ci vediamo .... cinema.	davanti al	davanti a	davanti da
5.	.... il computer lavoro più velocemente.	per	con	tra
6.	Mi piace molto passeggiare .... la spiaggia.	dentro	lungo	dopo
7.	Le macchine vanno lentamente .... traffico.	in mezzo al	in fondo al	a destra del
8.	Partiamo domani .... otto e le otto e mezzo.	alle	fra le	con le
9.	Le chiavi sono .... quel tavolo.	sopra del	sopra il	sopra
10.	Come ti trovi .... questa città?	a	di	in
11.	Abito abbastanza .... centro.	vicino dal	vicino al	vicino del
12.	È una collana .... perle molto costosa.	a	di	da

Tabella 25. Osserviamo

CONGIUNZIONI				
e	anche	neanche	o/oppure	ma/però
quindi/perciò	se	perché	quando	mentre

Le congiunzioni servono a collegare parole e frasi. Sono di vari tipi e hanno vari significati.

Abbinamento ●●

 **15 Abbina le parti di frasi, come nell'esempio in blu.**

1. Non mi sento tanto bene
2. Questo libro è interessante
3. Non ho molta fame
4. Vado spesso al mare
5. Preferisci partire stasera
6. Per andare alla festa vanno bene
7. Ascolta sempre un po' di musica
8. Vado alla posta
9. Domenica facciamo una gita
10. Ceniamo al ristorante
11. Con questo traffico non circolano
12. È una ragazza molto bella

a. perché devo pagare la bolletta.
b. perciò mangio solo un panino.
c. o domani mattina presto?
d. se fa bel tempo.
e. ma un po' difficile.
f. neanche i motorini.
g. anche i jeans.
h. ma poco simpatica.
i. oppure a casa?
l. quando arriva l'estate.
m. quindi preferisco rimanere a casa.
n. mentre corre nel parco.

 **16 Completa con le congiunzioni adatte, come nell'esempio in blu.**

Completamento ●●

1. Sono stanco	quando/perché/se	lavoro molto.
2. Studio	....	torno a casa.
3. Deve studiare	....	rimane a casa.
4. Non vado in vacanza	....	quest'anno.
5. Vengo	....	posso.
6. Piove	....	usciamo lo stesso.
7. Ascolto la musica	....	cucino.
8. Preferisci gli abiti classici	....	sportivi?
9. Venite al cinema	....	voi?
10. Sono contento	....	fa bel tempo.
11. Faccio colazione con un cappuccino	....	un cornetto.
12. Oggi è festa nazionale	....	gli uffici sono chiusi.

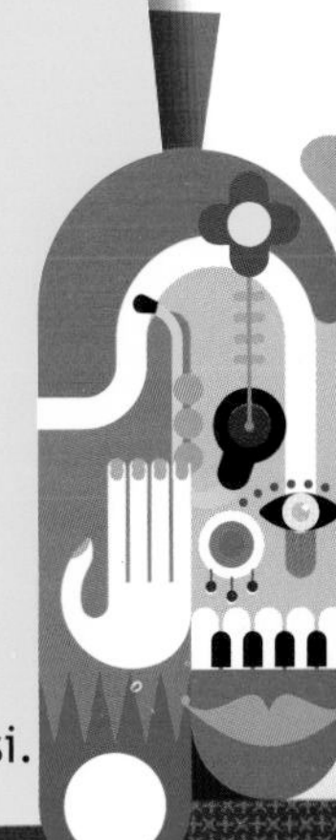

17 *Il lavoro di Sara*. Nel testo ci sono 8 congiunzioni sbagliate. Correggile e inseriscile nella griglia in basso come nell'esempio in blu.

Correzione ●●

Sara vive a Roma ma lavora come infermiera all'ospedale. Abita un po' lontano, mentre si sveglia molto presto quando lavora di mattina. Qualche volta deve fare il turno neanche di notte perché questo fa parte del suo lavoro. Di solito va al lavoro con la metro anche deve prendere la macchina se c'è lo sciopero dei mezzi. Mentre va al lavoro ascolta sempre le canzoni di Vasco Rossi però è il suo cantante preferito. Perciò Sara non lavora, va in palestra ma a correre nel parco vicino a casa sua perché vuole stare in forma. Ama anche viaggiare, oppure fa sempre un bel viaggio all'estero quando ha le ferie.

	1	2	3	4	5	6	7	8
sbagliata	ma	....	....	....	....	....	....	....
corretta	e	....	....	....	....	....	....	....

18 Individua la congiunzione giusta per ogni frase, come nell'esempio in blu.

Individuazione ●

1.	Fa molta ginnastica perché vuole stare in forma.	però	perché	anche
2.	Non ricordo .... domani c'è lezione.	ma	se	mentre
3.	Preferisci passare le vacanze al mare .... in montagna?	quando	o	ma
4.	A quest'ora non trovo .... un parcheggio a pagamento.	mentre	anche	neanche
5.	Il pranzo è pronto, ... potete mettervi a tavola.	però	perciò	quando
6.	Il cane .... il gatto sono animali domestici.	e	o	ma
7.	.... arriva la primavera, le giornate si allungano.	però	perché	quando
8.	Vorrei andare al mare .... devo studiare.	quindi	ma	se
9.	Non mangia la carne .... è vegetariana.	però	perché	mentre
10.	Alla festa non viene .... Giorgio.	e	neanche	quindi
11.	La palestra è aperta .... di domenica mattina.	anche	quindi	ma
12.	Mi piace ascoltare la musica .... guido.	però	anche	mentre

19 Scrivi alcune frasi integrandole con un verbo e con le preposizioni o le congiunzioni che ritieni opportune, come negli esempi in blu.

Integrazione ●●

		Preposizione	Congiunzione	
1. Vado al	supermercato	con		mia madre.
2. Studio in	biblioteca		perché	c'è più silenzio.
3.	bar	....	....	....
4.	palestra	....	....	....
5.	zoo	....	....	....
6.	tabaccheria	....	....	....
7.	mare	....	....	....
8.	luna park	....	....	....
9.	cartoleria	....	....	....
10.	metropolitana	....	....	....
11.	bicicletta	....	....	....
12.	ufficio	....	....	....
13.	medico	....	....	....

20 Integra le battute usando le preposizioni e le congiunzioni che ritieni opportune, come nell'esempio in blu.

Integrazione ●●

1. andare pasticceria, comprare dolci, ospiti cena
   Vado in pasticceria a comprare dei dolci perché ho ospiti a cena.

2. qui non potere parcheggiare, divieto di sosta, i vigili fare la multa
   ....
   ....
   ....

3. essere stanco, rimanere casa, guardare un film
   ....
   ....
   ....

4. io e mia sorella frequentare insieme corso danza, ci piace ballare

....

....

....

5. volere indossare una cravatta, non sapere quale colore, chiedere consiglio mia moglie

....

....

....

6. telefonare amici, chiedere venire cinema me, vedere un bel film

....

....

....

21 13 ***Motorini in città*. Ascolta il testo e trascrivi le parole mancanti, come nell'esempio in blu.**

Trascrizione

Nelle ore di punta (1) il traffico nelle grandi città è molto intenso. .... (2) e dopo la chiusura degli uffici e dei negozi, le strade sono molto trafficate, perciò spostarsi .... (3) o in autobus oppure camminare .... (4) è quasi la stessa cosa. Solo i motorini si muovono facilmente .... (5) e possono passare .... (6) più grandi. Le persone che usano il motorino possono arrivare puntuali .... (7) ma le persone che usano l'automobile o l'autobus arrivano spesso tardi perché rimangono bloccate .... (8). I motorini sono pratici, ... (9) e bisogna stare sotto la pioggia .... (10) e sotto il sole quando fa molto caldo. Sono .... (11), quindi è obbligatorio indossare .... (12) per guidare. Le persone che usano i motorini, ... (13), devono stare molto attente .... (14) come le persone che usano la macchina o i mezzi pubblici.

22 **Dopo aver svolto l'attività 21, riferisci alla classe cosa hai capito.**

Lettura autentica ●●

23 **Dopo aver svolto l'attività 21, rispondi alle domande o completa le frasi.**

Lettura attiva ●

1. Come è il traffico nelle ore di punta? ....
2. Quando il traffico è molto intenso, è quasi uguale ....
3. I motorini sono piccoli quindi ....
4. Perché le persone che vanno in macchina arrivano tardi al lavoro? ....
5. Quando è scomodo usare il motorino? ....
6. In motorino è obbligatorio mettere il casco perché ....

➲ **Ora fai tu una domanda a un tuo compagno di classe.**

24 **Dopo aver svolto l'attività 21, inserisci le preposizioni e le congiunzioni nella griglia, come nell'esempio in blu.**

Lettura focalizzata ●

Preposizioni	Congiunzioni
nelle	....
....	....

 **25** **Scrivi delle frasi per ogni sezione, usa alcune preposizioni e fai attenzione agli articoli, come negli esempi in blu. Puoi usare più di una preposizione per frase.**

Composizione ●●

A

Semplici o articolate

di
a
da
in
con
su
per
fra/tra

Devo andare alla posta per pagare la bolletta del telefono.

....

....

....

....

Improprie

sopra
sotto
dentro
durante
dopo
circa
senza
lungo

Ti chiamo durante la pausa.

....

....

....

....

B

Locuzioni

davanti a
dietro a
vicino a
lontano da
a destra di
a sinistra di
prima di
insieme a
di fronte a
in mezzo a
in fondo a
fuori da

La farmacia si trova di fronte alla banca.

....

....

....

....

26 Ascolta il testo *La mia camera* e rispondi alle domande o completa le frasi. — Ascolto attivo

1. Cosa fa di solito Michela nella sua camera? ....
2. La camera è ....
3. Con chi divide la camera? ....
4. Condividere la stanza non è un problema perché ....
5. Cosa c'è al muro? ....

Ora fai tu una domanda a un tuo compagno di classe.

27 Ascolta il testo *La mia camera* e completa, come nell'esempio in blu. — Ascolto analitico

1. In fondo al corridoio
2. .... bagno
3. .... porta
4. .... mobile
5. .... armadio
6. .... letto
7. .... scrivania
8. .... sedia
9. .... al muro
10. .... l'armadio e la scrivania
11. .... finestra
12. .... stanza

28 **Scrivi delle frasi con le congiunzioni che vedi nella griglia, come nell'esempio in blu. Puoi anche usare le preposizioni e più di una congiunzione.** — Composizione

e e anche neanche o/oppure ma/però quindi/perciò se perché quando mentre	Arrivo a casa e faccio la doccia. ....

29 **Descrivi la tua camera o un'altra stanza della tua casa e indica con precisione dove si trovano tutti gli oggetti.** — Esposizione

30 **Descrivi una piazza o una via importante della tua città e indica con precisione dove si trovano tutti gli edifici.** — Esposizione

Informare e informarsi:
possessivi, interrogativi, esclamativi, indefiniti

Tabella 26. Osserviamo

POSSESSIVI					
soggetto specifico	io	mio	mia	miei	mie
	tu	tuo	tua	tuoi	tue
	lui/lei - Lei	suo	sua	suoi	sue
	noi	nostro	nostra	nostri	nostre
	voi	vostro	vostra	vostri	vostre
	loro	loro	loro	loro	loro
soggetto generico	ognuno, chiunque, nessuno, tutti	proprio	propria	propri	proprie

Con i nomi di parentela al singolare non mettiamo l'articolo (es. *mio padre*, *tuo zio*, *sua sorella* ecc.). Mettiamo l'articolo solo con l'aggettivo possessivo loro (es. *il loro fratello*, *la loro madre*) o al plurale (es. *i miei zii*, *le mie cugine ecc.*).

1 Leggi le frasi e indica se i possessivi sono usati come aggettivi o come pronomi, come nell'esempio in blu. Individuazione

	Aggettivo	Pronome
1. La mia borsa è nuova.	✓	
2. I miei amici sono simpatici.		
3. La macchina di Fabio è più nuova della mia.		
4. Che bei guanti. Sono tuoi?		
5. La sua automobile costa molto.		
6. I suoi appunti sono utili.		
7. L'aula 12 è più grande della nostra.		
8. Questi vecchi dischi sono vostri?		
9. Il loro paese è molto lontano.		
10. La città dove abiti tu è più grande della loro.		

Con l'aiuto dell'insegnante cerca di capire con quale elemento della frase si accordano i possessivi.

2 Abbina le due colonne, come nell'esempio in blu. Abbinamento

1. Questo libro è per te,
2. Questa macchina è di Mario,
3. Questo cellulare è di Maria,
4. Questi biglietti sono per Livia e te,
5. Questi appunti sono di Michela,
6. Queste scarpe sono di Lorenzo,
7. Questa casa è mia e di Filippo,
8. Questa festa è per i nonni,
9. Questi guanti sono per me,
10. Questo tablet è tuo e di Mara,
11. Queste rose sono per te,
12. Questo appartamento è di Mara e Luca,

a. sono (i) miei.
b. è (il) vostro.
c. sono (i) suoi.
d. è (la) nostra.
e. è (la) loro.
f. è (la) sua.
g. è (il) tuo.
h. sono (i) vostri.
i. sono (le) tue.
l. è (il) loro.
m. è (il) suo.
n. sono (le) sue.

proprio

3 *Foto di famiglia*. Completa con i possessivi e, se necessario, con l'articolo determinativo, come nell'esempio in blu. Completamento

Vedete quella bambina in alto a destra? Sono io; il mio (1) nome è Elena e ho 10 anni. In questa foto sono con .... (2) famiglia. Alla .... (3) destra c'è .... (4) fratello Filippo che ha due anni meno di me. Davanti a lui c'è .... (5) madre che si chiama Caterina e ha 34 anni; alla .... (6) sinistra c'è .... (7) marito che è anche .... (8) padre; si chiama Andrea e ha 41 anni. .... (9) nonni non sono in questa fotografia ma vado a casa .... (10) ogni domenica. Io amo molto .... (11) famiglia. E voi volete dirmi come è .... (12)?

4 Seleziona i possessivi e completa le frasi, come nell'esempio in blu.

Selezione ●

1. Non ricordo dove ho messo le mie chiavi.
2. Mi piacciono molto i .... stivali. Ti stanno molto bene.
3. Luca e Barbara ci invitano spesso a cena a casa ....
4. Le cravatte di Fabio sono più belle delle ....
5. Ogni sabato sera esco con i .... amici.
6. Dobbiamo ancora finire di preparare le .... valigie.
7. Il motorino di Sara è nuovissimo; il .... invece è usato.
8. I .... genitori vanno in vacanza in Sardegna.
9. La stanza di Luca è in ordine ma la .... è un caos completo.
10. La .... macchina è pronta; potete venire a ritirarla.
11. Signora, questi documenti sono i ....
12. Ognuno ama il .... Paese.

mie
tuoi
nostri
mie
mia
vostra
Suoi
nostre
loro
proprio
mio
miei

5 *Che noia la domenica*. Seleziona le parti di frasi con i possessivi e inseriscile nel testo, come nell'esempio in blu.

Selezione ●●

Oggi è domenica e Adele si annoia molto; sua sorella (1) Silvia, che è più grande, deve fare i compiti e non può giocare con lei; Adele, allora va .... (2) ma anche lei è impegnata perché sta cucinando per i nonni che oggi vengono a pranzo; .... (3) è in giardino perché sta annaffiando le piante e Adele non sa proprio cosa fare. Così va nella camera .... (4) con una bella idea: vuole vestirsi come .... (5)! Tira fuori dall'armadio tutti .... (6) e poi comincia a scegliere quelli più belli. Prima mette .... (7) bianca che è molto elegante e ad Adele piace molto; poi prende .... (8) azzurra, ... (9) verdi, ... (10) rosse, ... (11) da sole e infine .... (12) che è azzurro come la gonna. Adesso Adele è davvero bella ma la gonna .... (13) è troppo grande e non sta su; così prende una cintura .... (14) e la usa per tenere ferma quella grandissima gonna. Adele è tutta contenta e va in cucina perché vuole fare una sorpresa .... (15) che sta continuando a preparare il pranzo. Quando la mamma vede Adele vestita in quel modo, fa una risata di gioia e la abbraccia con amore. Adele adesso è felice perché ha un compito importante: aspettare .... (16) vestita in modo molto elegante.

[sua sorella • la sua mamma • il suo papà • della sua mamma • alla sua mamma
i suoi guanti • i suoi vestiti • i suoi occhiali • la sua gonna • il suo cappello • i suoi nonni
dalla sua mamma • dei suoi genitori • le sue scarpe • del suo papà • la sua camicia]

6 Sostituisci il nome con il possessivo, come nell'esempio in blu. Sostituzione ●

1. la macchina che ha — la sua
2. la squadra che preferisco ....
3. la casa che hanno ....
4. le vacanze che vogliamo fare ....
5. i regali che ricevete ....
6. gli amici che frequenti ....
7. i libri che ha ....
8. i soldi che dovete prendere ....
9. le feste che organizzano ....
10. il cane che possiedi ....
11. gli occhiali che usa ....
12. i documenti che ho ....
13. la laurea che ha ....
14. i sentimenti che ho ....
15. i fiori che tenete in terrazza ....
16. le idee che avete ....

7 *La mia amica*. Con un tuo compagno di classe drammatizza la conversazione fra Marco (M) e Beatrice (B), usando i possessivi a ogni battuta. Drammatizzazione ●●

1.	M chiede come è la famiglia di B.	B parla di ognuno dei componenti della sua famiglia indicando: età, aspetto fisico, carattere, lavoro, interessi.
2.	M chiede quali sono gli interessi e i passatempi di B.	B parla dei suoi interessi e dei suoi passatempi.
3.	M vuole sapere qual è il/la cantante o l'attore/attrice preferito/a di B.	B parla del suo/della sua cantante o attore/attrice preferito/a.
4.	M chiede a B se ha una squadra preferita e qual è.	B risponde e parla della sua squadra preferita, se ne ha una.
5.	M chiede il cibo preferito di B.	B parla del suo cibo preferito.
6.	M chiede l'abbigliamento preferito di B.	B parla del suo abbigliamento preferito.

8 Scrivi delle frasi con uno dei possessivi della colonna a sinistra, come nell'esempio in blu. Composizione ●

mio - mia - miei - mie	La mia casa è in periferia.
tuo - tua - tuoi - tue	....
suo - sua - suoi - sue	....
nostro - nostra - nostri - nostre	....
vostro - vostra - vostri - vostre	....
loro	....
proprio - propria - propri - proprie	....

Tabella 27. Osserviamo

INTERROGATIVI ED ESCLAMATIVI				
	interrogativi	**esclamativi**	**pronome** (con verbi)	**aggettivo** (con nomi)
Chi	Chi è quella ragazza?		✓	
Che	Che leggi? / Che lavoro fai?	Che bella giornata!	✓	✓
Cosa / Che cosa	Cosa leggi? / Che cosa leggi?		✓	
Quale/i	Ho la penna blu e la penna nera, quale vuoi? / Quale attrice preferisci?		✓	✓
Come	Come vai a scuola?	Come ti capisco!	✓	
Quanto/a/i/e	Quanto costa il biglietto?	Quanto spende! Quanti soldi!	✓	✓
Dove	Dove andate in vacanza?		✓	
Quando	Quando partite?		✓	
Perché	Perché sei triste?		✓	

9 **Osserva le frasi e indica se gli interrogativi e gli esclamativi sono usati come pronomi o come aggettivi, come nell'esempio in blu.** Individuazione

Pronome Aggettivo

1. Quando partite? ✓
2. Dove andate sabato sera?
3. Perché non vuoi venire con noi?
4. Quanta strada dobbiamo fare!
5. Mi sa dire come posso andare in centro?
6. Qual è la tua materia preferita?
7. Quanto costano queste mele?
8. Che colore preferisci?
9. Cosa stai preparando di buono?
10. Di chi sono questi appunti?
11. Che mezzo di trasporto usi di solito?
12. Come sei elegante oggi!

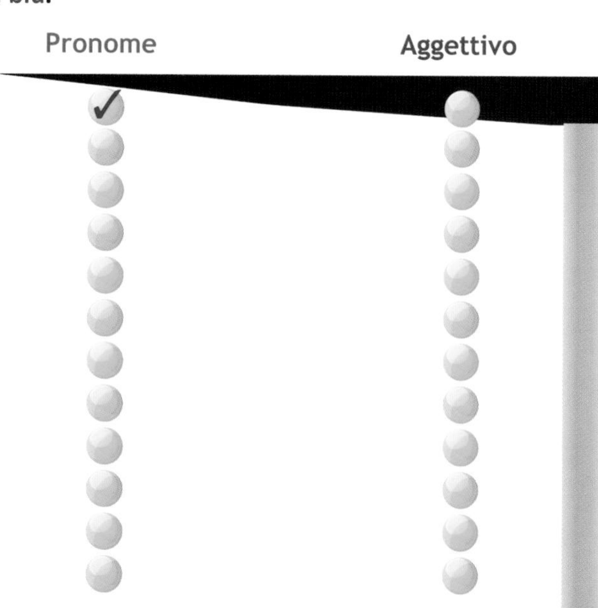

10 Abbina le due colonne, come nell'esempio in blu.

Abbinamento ●

1. Quando
2. Chi
3. Cosa
4. Quale
5. Come
6. Quante
7. Perché
8. Dove
9. Quando
10. Quanto
11. Quanta
12. Quali

a. dolci preferisci?
b. lingue conosci?
c. fatica per superare gli esami!
d. volete regalare a Mirella?
e. cominciano le lezioni?
f. viene questa cravatta?
g. tornate da Milano?
h. non vuoi dire la verità?
i. tipo di pizza preferisci?
l. sei elegante, complimenti!
m. sono quei ragazzi?
n. vai in vacanza?

11 Completa con gli interrogativi e gli esclamativi e indica se si tratta di pronomi o aggettivi, come nell'esempio in blu.

Completamento ●●

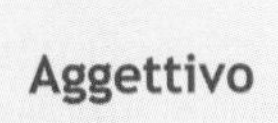

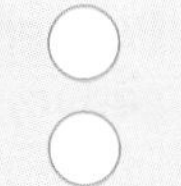

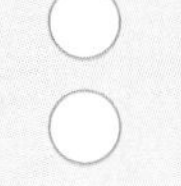

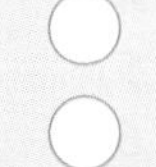

			Pronome	Aggettivo
1.	Quando / dove / con chi	lavori?	✓	○
2.	....	facoltà frequenti?	○	○
3.	....	state facendo?	○	○
4.	....	cantante italiano conosci?	○	○
5.	....	trucco! Mi sembra troppo.	○	○
6.	....	esami ti mancano per finire?	○	○
7.	....	non ascolti quando ti parlo?	○	○
8.	....	belle cravatte hai!	○	○
9.	....	pensa di venire alla festa?	○	○
10.	....	è lento questo treno!	○	○
11.	....	andate in vacanza quest'anno?	○	○
12.	....	è la fermata dell'autobus?	○	○

12 Seleziona gli interrogativi e gli esclamativi e completa le frasi, come nell'esempio in blu.

Selezione

- che
- cosa
- come
- chi
- che
- quanto
- dove
- perché
- quanti
- quanta
- quando
- quale

1. Che strada dobbiamo fare per andare al mare?
2. .... non mi credi? Ti sto dicendo la verità.
3. .... giorni mancano alla fine delle lezioni?
4. .... buono questo dolce!
5. .... passi il tuo tempo libero di solito?
6. Scusi, ... costano queste scarpe?
7. Sai .... cominciano le lezioni di storia?
8. Mi può dire .... si trova la biblioteca comunale?
9. .... mi accompagna all'aeroporto?
10. .... prepari per cena?
11. .... mezzo prendi per andare al lavoro?
12. .... farina occorre per questa torta?

13 Sostituisci le parti in blu con un pronome interrogativo, come nell'esempio.

Sostituzione

1. Quale persona deve fare l'esame oggi? — Chi
2. In che modo vai al lavoro? — ....
3. Quanti soldi costano questi pantaloni? — ....
4. In quale posto pensate di andare in vacanza? — ....
5. In quale giorno cominciano i saldi? — ....
6. Per quale motivo sei arrabbiata con me? — ....
7. Quale cosa non capisci? — ....
8. In che zona abitate? — ....
9. In che modo ti vesti per andare a una festa? — ....
10. Per quale motivo non vuoi venire con noi? — ....
11. Quale persona fra voi vuole venire con noi? — ....
12. In quale maniera prepari la pizza capricciosa? — ....

14 Per ogni risposta trova una domanda che contiene un interrogativo, come nell'esempio in blu.

Integrazione

1. ➤ Cosa desidera? ■ Un cappuccino e un cornetto, grazie.
2. ➤ .... ■ Non ho tempo, devo studiare.
3. ➤ .... ■ Fra dieci minuti.
4. ➤ .... ■ In autobus.
5. ➤ .... ■ Marco e Rossana.
6. ➤ .... ■ Circa due ore.
7. ➤ .... ■ Nel primo cassetto.
8. ➤ .... ■ Meglio di ieri, grazie.
9. ➤ .... ■ In centro.
10. ➤ .... ■ Non lo sappiamo ancora.
11. ➤ .... ■ Le patate al forno.
12. ➤ .... ■ Con acqua e farina.

15 **Scrivi delle frasi utilizzando gli interrogativi e gli esclamativi della colonna a sinistra, come nell'esempio in blu.** Composizione ●●

quando	Sai quando cominciano le lezioni?
che / cosa / che cosa	....
quale	....
dove	....
perché	....
come	....
chi	....
quanto	....
quando	....

Tabella 28. Osserviamo

A **INDEFINITI (solo pronomi o solo aggettivi)**

	funzione		si riferiscono a	
	pronomi (con verbi)	**aggettivi** (con nomi)	**persone**	**cose**
uno/a	È uno che non conosco.		✓	
ognuno/a	Ognuno può dire ciò che pensa.		✓	
chiunque	Chiunque può cambiare idea.		✓	
qualcuno/a	Qualcuno ti cerca. ■ Ti piacciono queste borse? ➤ Solo qualcuna.		✓	✓
qualcosa	Ho qualcosa da dirti.			✓
niente	Non so niente di questa storia.			✓
ogni		Ogni persona merita rispetto. Ogni lavoro è utile.	✓	✓
qualunque/ qualsiasi		Qualsiasi/Qualunque persona può fare questo lavoro. Qualsiasi/Qualunque vestito nero va bene.	✓ ✓	✓ ✓
qualche		Hai qualche amico straniero? Qualche volta non ti capisco.	✓	✓

B

INDEFINITI (pronomi e aggettivi)

	funzione		si riferiscono a	
	pronomi (con verbi)	**aggettivi** (con nomi)	**persone**	**cose**
nessuno/a	Nessuno conosce il futuro. ■ Quante cravatte hai? ➤ Nessuna.	Nessun uomo è perfetto. Non c'è nessuna fretta.	✓	✓
alcuni/e	Gli studenti sanno della gita ma alcuni non vanno. Molti autobus vanno a benzina e solo alcuni sono elettrici.	Alcune persone non sono sincere. Conosco la grammatica ma faccio ancora alcuni errori.	✓	✓
poco/poca/ pochi/poche	■ Avete ancora posti liberi? ➤ Sì ma pochi.	Quest'anno si prevedono pochi turisti. Hai mangiato poco pane.	✓	✓
molto/a/i/e tanto/a/i/e	Molti non hanno un lavoro sicuro. ■ Quante scarpe hai? ➤ Tante.	Molta gente preferisce andare in vacanza ad agosto. C'è ancora tanta strada da fare.	✓	✓
troppo/a/i/e	■ Vuoi ancora della pasta? ➤ Sì, ma non troppa. ■ Ci sono 35 invitati. ➤ Sono troppi!	Troppi giovani non trovano lavoro. Abbiamo troppe cose da fare.	✓	✓
tutto/a/i/e	Tutti hanno dei desideri. Non possiamo sapere sempre tutto.	Alla cena vengono tutti i compagni di classe. Studio tutti i giorni.	✓	✓

16 **Leggi le frasi e indica se gli indefiniti sono usati come pronome o aggettivo e se si riferiscono a persone o cose, come nell'esempio.** Individuazione ●●

	Pronome	Aggettivo	Persone	Cose
1. Ho tanta sete.	○	✓	○	✓
2. Hai qualche consiglio da darmi?	○	○	○	○
3. Chiunque può sbagliare.	○	○	○	○
4. Ha sempre tante idee per la testa.	○	○	○	○
5. Devi dirmi qualcosa?	○	○	○	○
6. Alcuni miei amici sono stranieri.	○	○	○	○
7. Non c'è ancora nessuno.	○	○	○	○
8. Ognuno ha le proprie idee.	○	○	○	○
9. Abbiamo poco tempo.	○	○	○	○
10. Nel frigorifero non c'è niente.	○	○	○	○
11. C'è qualcuno che ti cerca.	○	○	○	○
12. In città ogni giorno c'è traffico.	○	○	○	○

17 Abbina le due colonne, come nell'esempio in blu.

Abbinamento ●

1. Non sono riuscito a vedere
2. Non c'è fretta,
3. Dobbiamo fare presto,
4. Alla festa viene anche
5. Queste cose
6. Prendo un caffè
7. Stasera per cena
8. Vorrei conoscere
9. Stasera ho
10. Al matrimonio ci sono
11. Ti dispiace se vengono
12. Devo stirare

a. troppo sonno per uscire.
b. non le sa nessuno, solo tu.
c. anche alcuni miei amici?
d. non mangio niente.
e. qualche persona che non conosco.
f. c'è ancora molto tempo.
g. tanti invitati.
h. fra poco parte il treno.
i. tutte le mie camicie.
l. ogni mattina.
m. tutto il film.
n. l'opinione di ognuno di voi.

18 Completa le frasi con gli indefiniti e indica se sono pronomi o aggettivi, come nell'esempio in blu.

Completamento ●●

	Aggettivo	Pronome
1. In questa città c'è troppo/molto/tanto/poco traffico.	✓	
2. In quel condominio .... appartamento ha il suo terrazzo.		
3. .... hanno bisogno di amici.		
4. .... volta arrivo in ritardo a causa del traffico.		
5. La mia casa è grande ma .... stanze sono piccole.		
6. Cerchiamo .... di carino da regalare a Beatrice.		
7. Questo film non è .... di speciale.		
8. Abbiamo .... fretta e non possiamo aspettare.		
9. Mi piace .... tipo di pizza.		
10. .... può esprimere le proprie opinioni.		

19 Seleziona gli indefiniti a fianco in modo da ricostruire le frasi, come nell'esempio in blu.

Selezione ●●

1. Ogni giorno prendo la metropolitana.
2. Puoi trovare questa pasta in .... supermercato.
3. .... può farmi cambiare idea.
4. È meglio avere .... amici ma buoni.
5. Quando .... parla deve pensare a quello che dice.
6. Per ora non posso dirti .... di preciso.
7. .... volta non capisco quello che vuoi dire.
8. .... deve cercare di fare bene il proprio lavoro.
9. Lavora .... i giorni tranne la domenica.
10. Lo sai che .... dolci ingrassano.

ognuno
qualche
uno
pochi
niente
troppi
ogni
tutti
nessuno
qualunque

20 **Sostituisci le parti in blu con il pronome indefinito corrispondente, come nell'esempio.** Sostituzione

1. Devo dirti qualche cosa di importante. qualcosa
2. Queste cose non le dire a nessuna persona. ....
3. Quando una persona parla bisogna ascoltare. ....
4. Nessuna cosa mi interessa più della mia famiglia. ....
5. Questo lavoro non può farlo qualsiasi persona. ....
6. Molte persone preferiscono viaggiare in treno. ....
7. In questo negozio non c'è nessun oggetto che mi piace. ....
8. Poche persone sono felici di quello che hanno. ....
9. Alcune persone pensano di avere sempre ragione. ....
10. Tutte le persone hanno dei desideri. ....

21 **Scrivi delle frasi con gli indefiniti della colonna a sinistra, come nell'esempio in blu.** Composizione

ognuno	Ognuno può avere la religione che preferisce.
qualcuno	....
qualcosa	....
ogni	....
qualche	....
niente	....
nessuno/a	....
tutto/a/i/e	....
poco / poca pochi / poche	....
molto/a/i/e	....
troppo/a/i/e	....
alcuni/e	....

22 **Riordina le frasi, come nell'esempio in blu.** Riordino

1. piove rallenta ogni che traffico il volta
   Ogni volta che piove il traffico rallenta.
2. per possiamo la andare tua prendere al macchina mare ?
   ....
3. anche alla miei festa Londra alcuni amici vengono di
   ....
4. se come dolci pensi mangi di tanti dimagrire ?
   ....

5. nuovo sai il della direttore chi scuola è ?

....

6. non alla prossimo venire vuoi nostra sabato perché festa ?

....

7. sono sapete questi sul di tavolo chi occhiali ?

....

8. argomento vostra anche questo su vorrei la opinione sapere

....

23 ***Camera in affitto*. Nel dialogo ci sono 10 errori. Trovali, inseriscili nella griglia e correggili, come nell'esempio in blu.** Correzione ●●

A: Buongiorno, chiamo per l'annuncio sul giornale. Avete ancora delle camere libere in affitto?
B: Sì, ci sono una doppia e una singola, quale preferisce?
A: Dipende dal prezzo; come costa la doppia?
B: La doppia viene 600 € ma può dividerla con qualunque e pagare 300 € a testa.
A: Capisco, ma preferisco avere una camera tutta mia; la singola quanto viene?
B: 400 € e ha anche il collegamento ad Internet; può collegarsi a qualcuna ora.
A: Questo appartamento perché si trova? È in centro?
B: Proprio in centro no, ma è collegato bene, ci sono ogni autobus.
A: È una zona trafficata?
B: Di giorno abbastanza perché è una zona commerciale ma di notte circolano poche automobili.
A: Va bene. Mi può dire cosa è la casa?
B: Oltre alle due camere, ci sono due bagni, una cucina spaziosa, un ripostiglio e due balconcini.
A: La cucina è in comune vero?
B: Sì, deve dividerla con i tuoi coinquilini.
A: Senta, quando devo pagare l'affitto?
B: Lo può pagare dal 1° al 5 di ognuno mese.
A: Va bene, e da quando sono libere le camere?
B: La doppia è già disponibile e la singola si libera la prossima settimana.
A: Mi interessa più la singola, è arredata?
B: Sì, c'è anche un grande armadio dove può tenere le loro cose.
A: Quanto posso venire a vederla?
B: Anche oggi se vuole.
A: Sì, va bene alle 16.00?
B: D'accordo, ci vediamo oggi alle 16.00 allora, buona giornata.
A: Anche a lei, a più tardi.

	Sbagliati	Corretti
1.	come costa	quanto costa
2.	....	....
3.	....	....
4.	....	....
5.	....	....
6.	....	....
7.	....	....
8.	....	....
9.	....	....
10.	....	....

24 Dopo aver svolto l'attività 23, individua le risposte giuste. Individuazione ●

1. A ha saputo che ci sono camere in affitto da
   - [ ] a. un amico
   - [ ] b. un giornale

2. B affitta
   - [ ] a. una singola e una doppia
   - [ ] b. solo una singola

3. A preferisce
   - [ ] a. la doppia
   - [ ] b. la singola

4. B dice che l'appartamento è in una zona
   - [ ] a. lontana dal centro
   - [ ] b. tranquilla

5. B dice che
   - [ ] a. l'uso della cucina è in comune
   - [ ] b. l'uso della cucina si paga a parte

6. A chiede un appuntamento per
   - [ ] a. vedere la camera
   - [ ] b. pagare l'affitto del primo mese

25 15 ***Il significato di vacanza.*** **Ascolta il testo e trascrivi le parole mancanti, come nell'esempio in blu.** Trascrizione ●●

Non tutti hanno la stessa opinione di vacanza. Vediamo allora cosa dicono i componenti di questa famiglia su questo argomento.
Mi chiamo Roberto e ho 23 anni; la mia vacanza (1) ideale è una via di mezzo fra divertimento e studio; quest'anno, per esempio, penso di andare negli Stati Uniti per divertirmi insieme ai .... (2) ma anche per praticare l'inglese.
Io sono Linda e ho 17 anni; per me vacanza significa avere la possibilità di stare alcuni giorni con il .... (3). Vorrei andare in un posto tranquillo e passare con lui una vacanza rilassante e divertente ma non so se mamma e papà sono d'accordo. Io sto crescendo, mi sento grande ma i .... (4) mi considerano ancora la .... (5).
Mi chiamo Antonio e ho 47 anni. Per me la vacanza più bella è insieme a .... (6) e ai .... (7); infatti durante l'anno gli impegni di lavoro mi tengono spesso lontano da casa e quando posso stare con la .... (8) sono sempre felice.
Io sono Anna e ho 45 anni. Il .... (9) e le .... (10) domestiche occupano tutto il .... (11). Per questo, quando arriva il periodo delle vacanze, vorrei avere la possibilità di riposarmi e andare in una bella spiaggia con poca gente insieme ai .... (12) ma senza avere assolutamente niente da fare.
E voi come preferite passare le vacanze?

26 Dopo aver svolto l'attività 25, riferisci alla classe cosa hai capito.

Lettura autentica ●

27 Dopo aver svolto l'attività 25, rispondi alle domande o completa le frasi.

Lettura attiva ●●

1. Per Roberto la vacanza migliore ....
2. Perché Roberto va in vacanza negli Stati Uniti? ....
3. In vacanza Linda preferisce ....
4. Di cosa non è sicura Linda? ....
5. La vacanza ideale per Antonio ....
6. Perché Anna vuole solo riposarsi in vacanza? ....

➲ Ora fai tu una domanda a un tuo compagno di classe.

28 Dopo aver svolto l'attività 25, scrivi nella griglia i nomi delle persone o le cose a cui si riferiscono i possessivi, come nell'esempio in blu. Ricorda che a un possessivo si possono riferire più persone e nomi.

Lettura focalizzata ●

possessivo	nome	persona	possessivo	nome	persona
mio	....	....	mia	vacanza	Roberto
	....	....		....	....
	....	....		....	....
miei	....	....		....	....
	....	....	mie	....	....
	....	....		....	....
loro	....	....		....	....
	....	....		....	....
	....	....		....	....

29 ***Festa di compleanno*. Ascolta il testo e riferisci alla classe cosa hai capito.** Ascolto rilassato ●

30 **Ascolta il testo *Festa di compleanno* (29) e rispondi alle domande o completa le frasi.** Ascolto attivo ●●

1. L'appartamento di Anna ....
2. Federica e Anna dove pensano di organizzare la festa di compleanno e perché?
....
3. Quante persone pensa di invitare Anna? ....
4. Il fratello di Anna forse non va alla festa perché ....
5. Domani Anna e Federica si vedono ....
6. Perché Anna chiede a Federica di incontrarsi domani? ....

➲ **Ora fai tu una domanda a un tuo compagno di classe.**

31 **Ascolta il testo *Festa di compleanno* (29) e completa la griglia, come negli esempi in blu.** Ascolto analitico ●

	frequenta l'università con Federica	vuole organizzare una festa	aiuta la sua amica	è fidanzato	hanno una casa con giardino	non è italiano	è sposata
Anna	☐	☑	☐	☐	☐	☐	☐
Federica	☐	☐	☐	☐	☐	☐	☐
Marina	☐	☐	☐	☐	☐	☐	☐
Valentina	☐	☐	☐	☐	☐	☐	☐
Pierre	☐	☐	☐	☐	☐	☐	☐
I nonni di Anna	☐	☐	☐	☐	☐	☐	☐
Sofia	☐	☐	☐	☐	☐	☐	☐
Il fratello di Anna	☐	☐	☐	☐	☐	☐	☐

32 *Prenotare una camera*. **Ascolta il testo e riferisci alla classe cosa hai capito.**

Ascolto rilassato ●

33 **Ascolta il testo** ***Prenotare una camera*** **(32) e rispondi alle domande o completa le frasi.**

Ascolto attivo ●●

1. Il cliente per venerdì ....
2. Che tipo di camera vuole? ....
3. Il cliente chiede se ....
4. Di cosa è preoccupato il cliente? ....
5. Il cliente può fare colazione ....
6. Quanto paga per la camera? ....

➲ **Ora fai tu una domanda a un tuo compagno di classe.**

34 **Ascolta il testo** ***Prenotare una camera*** **(32) e svolgi le attività A e B di seguito indicate.**

Ascolto analitico ●

A. *Ascolta il testo e indica con ✓ gli interrogativi che senti.*

chi	che	cosa	che cosa	quale
come	quanto	dove	quando	perché

B. *Riascolta il testo e indica con ✓ gli indefiniti che senti.*

ognuno	qualcuno	qualcosa	ogni	qualche
nessuno	niente	poco	molto	tutto

35 **Incolla una foto della tua famiglia e descrivi brevemente un componente (nome, età, aspetto fisico, abbigliamento preferito, ...)**

Espansione ●●

36  **Fai alcune delle seguenti domande a un tuo compagno di classe e poi rispondi alle sue.**

Esposizione ●●

1. Da quante persone è composta la tua famiglia?
2. Hai fratelli/sorelle? Sono più grandi o più piccoli di te?
3. Vai d'accordo con i tuoi genitori?
4. Vai d'accordo con tuo fratello / tua sorella?
5. Cosa piace di più di te ai tuoi genitori? (abbigliamento, amici, abitudini ...)
6. Cosa piace di meno di te ai tuoi genitori? (abbigliamento, amici, abitudini ...)
7. Cosa ti piace di più, o di meno, dei tuoi genitori? (idee, pazienza, comprensione ...)
8. Dove preferisci andare in vacanza? Con chi? Perché?

Raccontare ieri:
passato prossimo indicativo

Tabella 29. Osserviamo

PASSATO PROSSIMO CON AUSILIARE *AVERE*							
		-ARE		-ERE		-IRE	
io	**ho**	parl- guard- cammin-	-ato	cred- sap-	-uto	sent- fin- cap-	-ito
tu	**hai**						
lui/lei/Lei	**ha**						
noi	**abbiamo**						
voi	**avete**						
loro	**hanno**						

L'ausiliare **avere** si usa con:
1. i verbi che hanno una funzione transitiva: rispondono alla domanda "*chi? che cosa?*"
2. alcuni verbi che hanno una funzione intransitiva, tra cui:
   a. verbi che esprimono attività della mente, come *ritenere*, *supporre*, *riflettere* e altri
   b. verbi della "comunicazione del corpo", come *ridere*, *piangere*, *sbadigliare* e altri
   c. altri da memorizzare tramite la pratica linguistica

1 Leggi le frasi e indica la coniugazione del verbo, come nell'esempio in blu.

Individuazione

	-ARE	-ERE	-IRE
1. Ha annaffiato le piante.	✓		
2. Abbiamo sentito la notizia alla radio.			
3. Ha finito di lavorare alle cinque.			
4. Quanto avete pagato?			
5. Non hai mantenuto la promessa.			
6. Hanno costruito molti palazzi.			
7. L'ho saputo ieri.			
8. Ho digerito male.			
9. Ho guardato un film.			
10. Hanno avuto molti impegni.			
11. Ha riparato la macchina.			
12. Abbiamo ricevuto una bella notizia.			

2 Abbina le due colonne, come nell'esempio in blu. Abbinamento

1. La scrittrice ha
2. Il postino ha
3. La cantante ha
4. Il professore ha
5. La ballerina ha
6. L'idraulico ha
7. Il conducente ha
8. I clienti hanno
9. I poliziotti hanno
10. La direttrice ha
11. Il primo ministro ha
12. Il cuoco ha

a. sostituito il rubinetto.
b. finito adesso la lezione.
c. arrestato i ladri.
d. ricevuto un importante premio.
e. consegnato le lettere.
f. riunito il consiglio.
g. licenziato un impiegato.
h. cucinato un piatto nuovo.
i. firmato molti autografi.
l. pagato con la carta di credito.
m. guidato l'autobus fino al capolinea.
n. danzato davvero bene.

Tabella 30. Osserviamo

<table>
<tr><th colspan="11">PASSATO PROSSIMO CON AUSILIARE ESSERE</th></tr>
<tr><td></td><td></td><td colspan="3">-ARE</td><td colspan="3">-ERE</td><td colspan="3">-IRE</td></tr>
<tr><td>io</td><td>sono</td><td rowspan="6">and-
torn-
rest-</td><td rowspan="3">-ato</td><td rowspan="3">-ata</td><td rowspan="6">cad-</td><td rowspan="3">-uto</td><td rowspan="3">-uta</td><td rowspan="6">part-</td><td rowspan="3">-ito</td><td rowspan="3">-ita</td></tr>
<tr><td>tu</td><td>sei</td></tr>
<tr><td>lui/lei/Lei</td><td>è</td></tr>
<tr><td>noi</td><td>siamo</td><td rowspan="3">-ati</td><td rowspan="3">-ate</td><td rowspan="3">-uti</td><td rowspan="3">-ute</td><td rowspan="3">-iti</td><td rowspan="3">-ite</td></tr>
<tr><td>voi</td><td>siete</td></tr>
<tr><td>loro</td><td>sono</td></tr>
</table>

L'ausiliare **essere** si usa con:
1. molti verbi che hanno una funzione intransitiva, tra cui:
   a. la maggior parte dei verbi di movimento, come *andare*, *venire*, *tornare*, *partire*, *entrare*, *uscire* e altri
   b. verbi di stato, come *stare*, *restare*, *rimanere* e altri
   c. verbi che indicano un cambiamento, come *nascere*, *crescere*, *diventare*, *sorgere*, *tramontare* e altri
2. verbi riflessivi, come *svegliarsi*, *lavarsi*, *prepararsi*, *ricordarsi* e altri

3 **Indica il soggetto delle frasi, come nell'esempio in blu.**

Individuazione

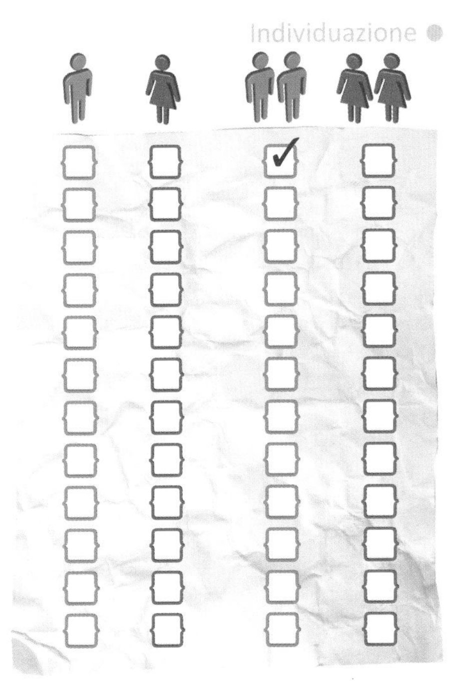

1. Gli impiegati sono usciti tardi dall'ufficio.
2. La lezione è finita in anticipo.
3. È arrivato in ritardo.
4. Si sono vestite molto eleganti.
5. Sono partiti per l'Australia.
6. È ingrassata molto negli ultimi mesi.
7. Ieri siamo stati tutto il giorno a casa.
8. Quando siete andate in Messico?
9. Perché sei tornato così tardi?
10. Quando è iniziato il film?
11. L'autobus è passato in ritardo.
12. La macchina si è fermata di nuovo.

4 **Abbina le due colonne, come nell'esempio in blu.**

Abbinamento

1.	Maria e Francesca sono	a.	sono andate in settimana bianca.
2.	Mario è	b.	è rimasto a casa tutto il giorno.
3.	Federico e Antonio	c.	tornati in treno.
4.	Il sole è	d.	è cominciata poco fa.
5.	Chiara è	e.	è finito da poco.
6.	Giuseppe	f.	sono cresciuti all'estero.
7.	Cinzia e Beatrice	g.	sbocciate da alcuni giorni.
8.	Giovanni e Luca sono	h.	arrivate da poco.
9.	Il temporale	i.	tramontato alle 18.
10.	Elena	l.	tornata dalla Francia.
11.	La conferenza	n.	è andata in vacanza.
12.	Le rose sono	m.	partito ieri.

5 Indica le possibili domande riferite al verbo dato e poi indica se il verbo ha una funzione transitiva (T) o intransitiva (I), come nell'esempio in blu.

Individuazione ●

	chi? (oggetto)	cosa? (oggetto)	dove?	come?	quando?	perché?	quanto?	T	I
1. restare	○	○	✓	✓	○	✓	✓	○	✓
2. andare	○	○	○	○	○	○	○	○	○
3. comprare	○	○	○	○	○	○	○	○	○
4. entrare	○	○	○	○	○	○	○	○	○
5. mangiare	○	○	○	○	○	○	○	○	○
6. pagare	○	○	○	○	○	○	○	○	○
7. guardare	○	○	○	○	○	○	○	○	○
8. arrivare	○	○	○	○	○	○	○	○	○

Tabella 31. Osserviamo

PASSATO PROSSIMO DEI VERBI RIFLESSIVI

			-ARE			-ERE			-IRE		
io	mi	sono	lav-	-ato	-ata	ricred-	-uto	-uta	vest-	-ito	-ita
tu	ti	sei									
lui/lei/Lei	si	è									
noi	ci	siamo		-ati	-ate		-uti	-ute		-iti	-ite
voi	vi	siete									
loro	si	sono									

6 Abbina le due colonne, come nell'esempio in blu.

Abbinamento ●●

1. Che cosa hai
2. Il treno è
3. Perché non avete
4. Monia è
5. Quando siete
6. Ci siamo
7. Quanto è
8. Sara e Chiara sono
9. Ieri mi sono
10. Alcuni sono

a. andata in vacanza a Lampedusa.
b. invitato anche Lucia?
c. durato il corso?
d. arrivati in ritardo.
e. partite per il Portogallo.
f. divertito un sacco.
g. mangiato ieri sera?
h. arrivato al binario 12.
i. svegliati tardi stamattina.
l. partiti?

Tabella 32. Osserviamo

PARTICIPI PASSATI IRREGOLARI					
chiudere	chiuso	-so	piangere	pianto	-nto
decidere	deciso		giungere	giunto	
dividere	diviso		spegnere	spento	
prendere	preso		vincere	vinto	
ridere	riso		chiedere	chiesto	-sto
scendere	sceso		rimanere	rimasto	
perdere	perso		rispondere	risposto	
correre	corso		nascondere	nascosto	
essere	stato	-to	vedere	visto	
venire	venuto		mettere	messo	-sso
bere	bevuto		succedere	successo	
nascere	nato		leggere	letto	-tto
vivere	vissuto		scrivere	scritto	
aprire	aperto	-rto	rompere	rotto	
offrire	offerto		dire	detto	
morire	morto		fare	fatto	

7 **Abbina le due colonne, come nell'esempio in blu.** Abbinamento ●●

1. Che cosa avete
2. Che cosa è
3. Perché siete
4. Che cosa hai
5. Chi ha
6. I vigili del fuoco hanno
7. Dove hai
8. Maria, sei mai
9. Alberto e Fabio sono
10. Il giornalista ha
11. I turisti hanno
12. Quando siete

a. venuti così tardi?
b. rimasti a Berlino per tre giorni.
c. rotto il vaso?
d. messo le chiavi?
e. visto i monumenti principali.
f. stata in Australia?
g. scritto un nuovo articolo.
h. successo?
i. nate?
l. fatto di bello?
m. spento l'incendio.
n. visto a Roma?

8 Abbina gli infiniti ai participi passati irregolari, come nell'esempio in blu.

Abbinamento ●●

1. fare
2. dire
3. prendere
4. scrivere
5. bere
6. vivere
7. venire
8. vedere
9. nascere
10. chiudere
11. rispondere
12. perdere
13. mettere
14. chiedere
15. piangere
16. scendere

a. visto
b. nato
c. perso
d. messo
e. pianto
f. preso
g. chiesto
h. scritto
i. chiuso
l. sceso
m. fatto
n. risposto
o. vissuto
p. detto
q. venuto
r. bevuto

9 Abbina i participi passati all'ausiliare, come nell'esempio in blu.

Abbinamento ●●

uscito • cucinato • andato • letto • ascoltato
sentito • caduto • parlato • arrivato • dormito • scritto
viaggiato • riso • incontrato • lavato

è uscito, ...
....
....

ha ....
....
....

10 Individua l'ausiliare corretto, come nell'esempio.

Individuazione ●

1. Michele e Sandro ~~sono~~/hanno sbagliato strada come al solito.
2. L'estate scorsa sono/ho viaggiato molto per lavoro.
3. Che cosa siete/avete fatto ieri sera?
4. Come sei/hai passato la serata?
5. Venerdì scorso siete/avete dato un esame molto difficile.
6. Questo scrittore è/ha morto negli anni Venti.
7. Carlo è/ha dimagrito molto negli ultimi mesi.

8. Sono/Ho passeggiato tranquillamente nel parco.
9. Lo scorso mese siamo/abbiamo partecipato ad un corso di cucina cinese.
10. Gianni è/ha partito da Roma alle 6.00.
11. Sono/Ho telefonato a Carla per sapere come stava.
12. Ci abbiamo/siamo stancati dei soliti discorsi.

11 Individua l'ausiliare corretto, come nell'esempio. Individuazione

1. A che ora ti sei/~~hai~~ svegliato stamattina?
2. L'estate scorsa in Sicilia siamo/abbiamo nuotato a lungo in quello splendido mare.
3. Veronica è/ha diventata una brava ballerina.
4. Vi è/ha piaciuto il film?
5. Ieri notte mi sono/ho addormentato tardi a causa dei rumori in strada.
6. Ieri pomeriggio siamo/abbiamo camminato tanto per le vie del centro.
7. Franca è/ha guidato tutta la notte.
8. Stamattina siamo/abbiamo restituito i libri in biblioteca.
9. Ragazze, perché non siete/avete venute al cinema ieri sera?
10. Sono/Ho uscito un po' prima dall'ufficio per andare a fare la spesa.
11. La conferenza è/ha stata molto noiosa.
12. Saverio è/ha caduto dalla bicicletta tornando a casa.

Tabella 33. Osserviamo

PASSATO PROSSIMO DEI VERBI MODALI UNITI AD ALTRI VERBI

	con avere				con essere				
io	ho				sono				
tu	hai				sei				
lui/lei/Lei	ha	pot- vol- dov-	-uto	rispondere	è	pot- vol- dov-	-uto	-uta	partire
noi	abbiamo				siamo				
voi	avete				siete				
loro	hanno				sono		-uti	-ute	

12 Completa la griglia, come negli esempi in blu.

Completamento ●●

	VOLERE		DOVERE		POTERE	
	leggere	andare	lavorare	uscire	vedere	partire
io	ho voluto leggere					
tu					hai potuto vedere	
lui/ lei/ Lei				è dovuto/a uscire		
noi						
voi		siete voluti/e andare				
loro						

13 Individua la frase corretta al passato prossimo, come nell'esempio in blu.

Individuazione ●●

1. **Voglio andare a Siena.**
   a. Sono voglio andare a Siena.
   b. Ho voluto vado a Siena.
   c. Sono voluto andare a Siena.
2. **Vogliamo prendere un caffè macchiato.**
   a. Abbiamo voluto preso un caffè macchiato.
   b. Siamo voluti prendere un caffè macchiato.
   c. Abbiamo voluto prendere un caffè macchiato.
3. **Dovete fare molti esercizi.**
   a. Avete dovuto fatto molti esercizi.
   b. Avete dovuto fare molti esercizi.
   c. Siete dovuti fare molti esercizi.
4. **Deve parlare col professore.**
   a. Ha dovuto parlare col professore.
   b. È dovuto parlare col professore.
   c. Ha dovuto parlato col professore.
5. **Non possiamo preparare il dolce.**
   a. Non abbiamo potuti preparare il dolce.
   b. Non siamo saputi preparare il dolce.
   c. Non abbiamo potuto preparare il dolce.
6. **Vogliono seguire un corso di italiano.**
   a. Hanno voluto seguito un corso di italiano.
   b. Hanno voluto seguire un corso di italiano.
   c. Sono voluti seguire un corso di italiano.
7. **Non posso prenotare la camera.**
   a. Non sono potuto prenotare la camera.
   b. Non ho potuto prenotato la camera.
   c. Non ho potuto prenotare la camera.
8. **Non può tornare prima di cena.**
   a. Non ha potuto tornato prima di cena.
   b. Non è potuto tornare prima di cena.
   c. Non è potuto tornato prima di cena.
9. **Deve andare dal dentista.**
   a. È dovuto andare dal dentista.
   b. Ha dovuto andato dal dentista.
   c. È dovuto andato dal dentista.
10. **Devo riparare il computer.**
    a. Sono dovuto riparare il computer.
    b. Ha dovuto riparare il computer.
    c. Ha dovuto riparato il computer.

14 Completa le frasi con un verbo al passato prossimo, come nell'esempio in blu.

Completamento ●●

1. Dove siete stati ieri sera? Siamo stati a cena da Stefano.
2. Ieri sera (*noi*) .... in pizzeria.
3. (*Io, dovere*) .... un taxi perché c'era sciopero dei mezzi pubblici.
4. I miei genitori .... per Parigi martedì scorso.
5. Il treno .... con mezz'ora di ritardo.
6. (*Tu*) .... a Genova in treno o in macchina?
7. (*Lui, volere*) .... a casa perché era troppo stanco per uscire.
8. I nostri amici ci .... una lettera da Londra.
9. Aveva così tanta sete che .... un litro di acqua.
10. Non ti (*io, potere*) .... perché non avevo il tuo numero di telefono.
11. Che cosa (*voi*) .... a Maria per il suo compleanno?
12. Il vigile mi .... una multa per divieto di sosta.

15 *Preparativi per la partenza.* Completa il racconto con le desinenze del participio passato, come nell'esempio in blu.

Completamento ●

Ieri Teresa ha avuto (1) una giornata molto impegnativa e faticosa. La mattina si è svegliat... (2) presto, si è lavat... (3), si è vestit... (4) e ha fatt... (5) una buona colazione. Subito dopo è andat... (6) in lavanderia dove ha portat... (7) a lavare una giacca, un vestito, due pantaloni e tre maglie.
Poi ha dovut... (8) portare il suo gatto Mao da Chiara, la sua vicina di casa. Dopo questo è dovut... (9) andare in banca dove ha cambiat... (10) 500 euro in dirham; poi è passat... (11) dall'agenzia di viaggi a ritirare i biglietti dell'aereo. Subito dopo è tornat... (12) a casa e ha mangiat... (13) qualcosa al volo.
Nel primo pomeriggio è arrivat... (14) Fabio e insieme hanno preparat... (15) le valigie. Nel tardo pomeriggio hanno pres... (16) un taxi e sono arrivat... (17) in aeroporto dove hanno incontrat... (18) Lucia e Davide e tutti insieme si sono imbarcat... (19) sulll'aereo per Marrakech dove sono arrivat... (20) dopo circa 3 ore.

16 ***Cartoline.*** **Completa le cartoline con un verbo al passato prossimo.** Completamento

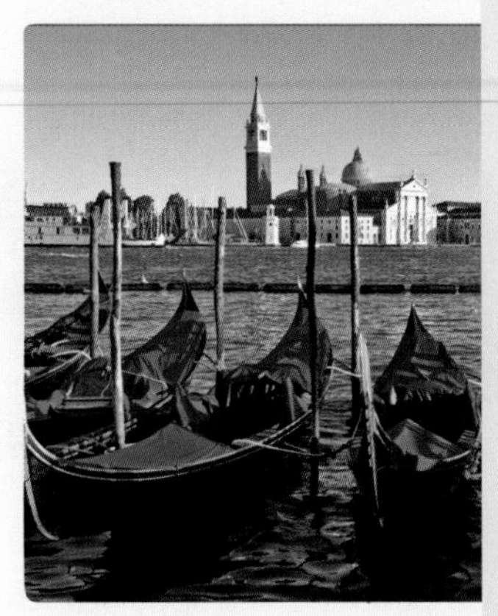

Siamo venuti (1) a Venezia per il fine settimana. Ieri .... (2) a Piazza San Marco in gondola, ... (3) la Basilica e poi (volere) .... (4) un cappuccino al celebre caffè Florian. Questa mattina .... (5) per Murano, un'isola famosa per la lavorazione del vetro e nel pomeriggio .... (6) tra i canali e le strade strette di questa incantevole città. Domani sera torniamo a Verona e lunedì purtroppo al lavoro! Un saluto, Angelo e Marta.

Sig. Arletti Michele
Via G. Puccini 8
Lucca

Che bello essere a Napoli! Una città davvero sorprendente! Ieri ho visitato Piazza del Plebiscito e il Maschio Angioino. Nel pomeriggio .... (7) un'escursione e (volere) .... (8) fino alla cima del Vesuvio da cui (potere) .... (9) un panorama molto suggestivo sul golfo di Napoli. Questa mattina .... (10) il traghetto per Capri, un'isola piccola e meravigliosa, e nel suo splendido mare .... (11) il bagno. Poi la sera, purtroppo, (dovere) .... (12) a Napoli. Domani mi aspettano altre visite... non vedo l'ora!
Un abbraccio, Alessandro.

Sig.ra Parini Serena
Via del Ponte 51
Milano

17 **Osserva l'agenda di Paola e integra oralmente gli appunti per ricostruire cosa ha fatto ieri, come nell'esempio in blu.** Integrazione

Ieri mattina Paola si è svegliata alle 8.30 ...

*8.30: sveglia, doccia
*9.15: bar, cappuccino e cornetto
*9.30: autobus, università
*10.00 - 12.00: lezione di economia
*12.30: bar dell'università, caffè
*13.00 - 13.30: biblioteca, libri in prestito
*13.30 - 14.30: mensa dell'università, fila di venti minuti, pranzo

*15.00 - 17.00: lezione di matematica
*17.30: cartoleria, quaderno per appunti, penne, evidenziatore ☺
*18.30 - 20.00: palestra
*20.30: casa, cena
*22.30: Manuela, cinema
*0.30: casa, letto

Integrazione ●●

18 ***Che cosa ha fatto Eleonora?* Usa le parole date e scrivi un testo al passato prossimo. Puoi utilizzare le espressioni temporali: *prima, poi, la mattina, il pomeriggio, la sera* e altre che conosci.**

Eleonora | traghetto | isola di Ponza | spiaggia | bagno nel mare
sole | pizza con amici | giochi in spiaggia | passeggiata lungo la riva
porto di Ponza | traghetto | casa | doccia | letto

Domenica mattina presto Eleonora ha preso il traghetto e ...

....

....

....

....

....

....

....

....

....

....

....

....

Integrazione ●●

19 ***Che cosa hanno fatto Aldo, Giovanni e Giacomo?* Usa le parole date e scrivi un testo al passato prossimo. Puoi utilizzare le espressioni temporali: *prima, poi, la mattina, il pomeriggio, la sera* e altre che conosci.**

Aldo, Giovanni e Giacomo • macchina • Pisa • Piazza dei Miracoli
basilica • in cima alla torre • tante fotografie • mangiare qualcosa
al bar • albergo • riposarsi un po' • un'amica • cena insieme

Sabato mattina Aldo, Giovanni e Giacomo hanno preso la macchina e ...

....

....

....

....

....

....

....

....

20 Riordina le frasi, come nell'esempio in blu.

Riordino ●●

1. amica | siamo | nostra | un | andati | regalo | in | centro | per | e | abbiamo | la | comprato

   Siamo andati in centro e abbiamo comprato un regalo per la nostra amica.

2. ho | ieri | casa | a | e | sono | giocato | tornato | pallone | a

   ....

3. è | non | lavoro | male | andare | Susanna | e | stata | è | al | potuta

   ....

4. il | ricevuto | che | messaggio | inviato | ti | auguri | ho | hai | di?

   ....

5. perché | potuto | avuto | non | è | incidente | partire | ha | un | Giacomo

   ....

6. molto | una | e | siamo | scorso | divertiti | sabato | gita | abbiamo | fatto | ci

   ....

7. avuto | ho | pancia | mangiato | ieri | ho | mal | il | troppo | e | di

   ....

8. hanno | ha | chiuso | rubato | e | non | casa | a | ladri | Luca | chiave | i | in

   ....

9. ho | è | inizio | aspettato | arrivata | del | Laura | ma | fino | all' | film | non

   ....

10. ufficio | molto | sono | perché | ho | dall' | tardi | dovuto | lavorare | uscito

    ....

21 Riordina le due parti della lettera che Sara scrive a Michele, come negli esempi in blu.

Riordino ●●

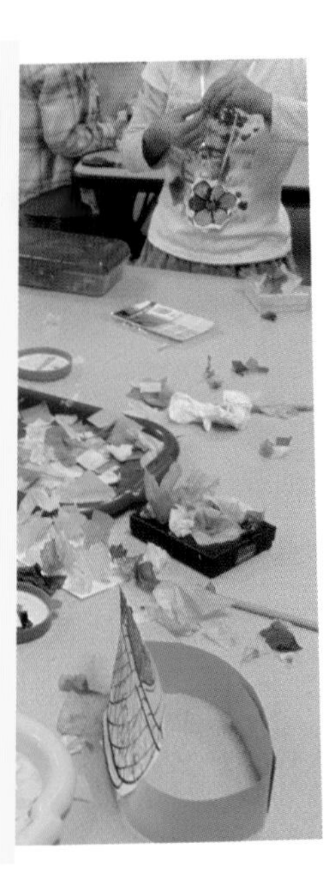

.... **a.** È da tanto tempo che non ci sentiamo così
.... **b.** ho deciso di scriverti e di aggiornarti su ciò che
.... **c.** e ho aiutato le altre maestre nell'educazione dei bambini.
.... **d.** ho fatto negli ultimi mesi.
1 **e.** Caro Michele, come stai?
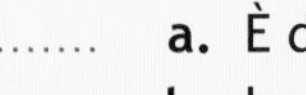
.... **f.** dove ho fatto un tirocinio di tre mesi in una scuola materna
.... **g.** Sono stata a Brighton, in Inghilterra

.... **h.** ma poi ho iniziato a parlare meglio e più velocemente.
.... **i.** In Inghilterra ho conosciuto ragazzi e ragazze da tutto il mondo
.... **l.** Spero di avere presto tue notizie. Un abbraccio, Sara
.... **m.** In questo modo ho iniziato a capire anche culture diverse dalla mia
8 **n.** All'inizio ho incontrato delle difficoltà, soprattutto con la lingua
.... **o.** e con loro ho scambiato molte idee e opinioni.
.... **p.** e sono tornata a casa felice di questa bella esperienza.
.... **q.** E tu? Cosa mi racconti di bello?

22 ***Una gita al lago.*** **Scrivi l'ausiliare essere o avere, negli spazi blu, e la desinenza del participio passato, negli spazi rossi, come nell'esempio.**

Selezione

La settimana scorsa Lucia è (1) andata al Lago Trasimeno. .... partit.... (2) sabato mattina da Roma e alle 12.00 .... arrivat.... (3) a Castiglione del Lago. .... lasciat.... (4) le valigie in albergo, ... pranzat.... (5) in un piccolo ristorante e poi .... fatt.... (6) una breve passeggiata per il paese. Il giorno dopo .... arrivat.... (7) anche i suoi amici da Perugia e tutti insieme .... decis.... (8) di fare un giro lungo il lago; .... noleggiat.... (9) delle biciclette e .... andat.... (10) da Castiglione fino a San Feliciano. Qui .... lasciat.... (11) le biciclette nella piazzetta del paese e .... sedut.... (12) in un bar lungo il lago dove .... pres.... (13) un aperitivo. Dopo .... ritornat.... (14) a Castiglione. Domenica .... passat.... (15) tutto il giorno alla spiaggia del lago dove .... pres.... (16) il sole e .... fatt.... (17) il bagno. La sera Lucia .... pres.... (18) il treno per tornare a Roma, mentre i suoi amici .... tornat.... (19) a Perugia in macchina. .... stat.... (20) un fine settimana bellissimo.

23 ***Lettera a un'amica.*** **Riscrivi il testo dell'attività 22 alla prima persona, come nell'esempio in blu.**

Cara Manuela,

la settimana scorsa sono andata al Lago Trasimeno. ....

....

....

....

....

....

....

....

....

....

....

....

....

24 ***Che cosa hanno fatto?*** **Abbina i verbi della prima lista alle immagini e scrivi una frase al passato prossimo. Poi sostituisci il verbo con uno di quelli della seconda lista di significato equivalente.**

Selezione ●●

prima lista	
pescare	cadere
addormentarsi	disegnare
lanciarsi	sporcarsi
partorire	fare
fare la spesa	arrampicare
compiere gli anni	fare la doccia

seconda lista	
festeggiare	lavarsi
avere un bambino	preparare
realizzare un disegno	appisolarsi
buttarsi	comprare da mangiare
scivolare	salire su una montagna
prendere un pesce	macchiarsi

1. La signora ha fatto / ha preparato una torta.

2. ....

3. ....

4. ....

5. ....

6. ....

7. ....

8. ....

9. ....

10. ....

11. ....

12. ....

25 ***Una giornata interessante.*** **Drammatizza con un tuo compagno di classe la conversazione tra Fabio (F) e Sofia (S). Ricorda di usare ad ogni battuta un verbo al passato prossimo.**

Drammatizzazione ●

1. F chiede incontra S, la saluta e chiede come ha passato il fine settimana.	S risponde: Firenze.
2. F chiede se da sola o con qualcuno.	S risponde: con un'amica e dice il suo nome.
3. F chiede l'ora della partenza.	S risponde: alle 10.30.
4. F chiede il mezzo usato.	S risponde in treno.
5. F chiede i luoghi visitati.	S risponde: visitare Duomo, passeggiare su Ponte vecchio, salire a Piazzale Michelangelo e fare molte fotografie.
6. F chiede se S e la sua amica hanno visitato anche qualche Museo.	S risponde: la galleria degli Uffizi.
7. F chiede il prezzo del biglietto e il tempo trascorso agli Uffizi.	S risponde: circa 12 €, 2 ore.
8. F chiede cosa e dove hanno mangiato S e la sua amica.	S risponde: un panino e una bottiglietta d'acqua in una paninoteca del centro. Poi chiede a F come ha passato il fine settimana.
9. F dice: niente, a casa tutto il giorno.	

26 ***Una giornata stressante.*** **Con un tuo compagno di classe drammatizza la conversazione fra Mario (M) e Franco (F). Ricorda di usare ad ogni battuta un verbo al passato prossimo.**

Drammatizzazione ●●

1. Dopo il lavoro, nel tardo pomeriggio, M incontra F al bar, lo saluta e gli chiede se ha avuto una buona giornata.	F saluta M e risponde negativamente: giornata pesante e piena di piccoli problemi.
2. M chiede a F di spiegare i motivi.	F spiega: molto ritardo in ufficio e tanto stress.

3. M chiede a F di spiegare i fatti.	M spiega i fatti: ieri sera fanali accesi, stamattina batteria scarica, macchina non parte.
4. M chiede a F le conseguenze di questo.	M spiega: al lavoro in autobus; 30 minuti ad aspettare per strada, ritardo di quasi un'ora in ufficio.
5. M chiede a F perché non lo ha chiamato e non gli ha chiesto aiuto.	F spiega di avere pensato a questa possibilità ma non ha voluto disturbare.
6. M dice che F ha sbagliato perché loro sono amici e lui non disturba mai.	F ringrazia e dice che comunque non ha avuto nessun problema con il direttore e che è uscito un'ora dopo per recuperare il ritardo.
7. M dice a F che è fortunato perché il suo direttore è molto comprensivo.	F è d'accordo; poi dice a M che è stato contento di averlo incontrato e lo saluta.

27 Correggi le frasi, dove necessario, come nell'esempio in blu.

Correzione

1. Mauro e Lidia sono andato in pizzeria. — Mauro e Lidia sono andati in pizzeria.
2. Si hanno seduti vicino alla finestra. ....
3. Hanno chiesto il menù al cameriere. ....
4. Mauro e Lidia sono ordinato la pizza. ....
5. Lidia ha prenduto anche il dolce. ....
6. Mauro e Lidia hanno finito la cena. ....
7. Sono pagato il conto. ....
8. Hanno lasciato la mancia al cameriere. ....
9. Hanno uscito dal ristorante. ....
10. Sono tornato a casa. ....

28 Correggi le frasi, dove necessario, come nell'esempio in blu.

Correzione

1. La signora Argenti è andato in banca. — La signora Argenti è andata in banca.
2. Ha preso il numero. ....
3. Si è mettuta in fila. ....
4. Ha parlato con l'impiegato. ....
5. Ha ricevuto i moduli. ....
6. È compilato i moduli. ....
7. Ha firmito. ....
8. Ha ringraziata l'impiegato. ....
9. Ha salutato. ....
10. È uscito dalla banca. ....

29 18 ***Del più e del meno*. Ascolta i dialoghi e individua le risposte giuste.** Individuazione ●●

1. Lisa non è andata al corso di yoga perché
   - [ ] **a.** non ha avuto tempo.
   - [ ] **b.** non ha avuto voglia.
2. Beatrice non è andata in pizzeria perché
   - [ ] **a.** Laura non ha invitato anche lei.
   - [ ] **b.** ha dovuto studiare.
3. Matteo ha avuto un incidente a causa di
   - [ ] **a.** una moto.
   - [ ] **b.** una macchina.
4. Carlo è andato in ospedale
   - [ ] **a.** perché ha avuto un incidente.
   - [ ] **b.** per ritirare le analisi.
5. Marcello è stato a Berlino
   - [ ] **a.** da solo.
   - [ ] **b.** con Edoardo.
6. Edoardo ha considerato più importante
   - [ ] **a.** il prezzo economico del biglietto.
   - [ ] **b.** la cultura di Berlino.

30 18 **Ascolta i dialoghi *Del più e del meno* (29) e scrivi nella griglia i verbi al passato prossimo che senti, come nell'esempio in blu.** Ascolto analitico ●●

-are	-ere	-ire	*irregolari*
Sei andata	....	....	....
....	....	....	....
....	....	....	....
....	....	....	....
....	....	....	....
....	....	....	....
....	....	....	....
....	....	....	....

31 **Sostituisci i verbi al presente con i verbi al passato prossimo, come nell'esempio in blu.** Sostituzione ●

1. Ogni estate andiamo in vacanza al mare, ma quest'anno siamo andati/e in montagna.
2. Di solito pranzo sempre alla mensa; oggi però .... in trattoria.

3. La mattina faccio spesso colazione al bar; questa mattina invece .... a casa.
4. Ogni mercoledì Enrico gioca a calcio: invece mercoledì scorso .... a tennis.
5. Ogni domenica Luisa si sveglia tardi; domenica scorsa .... presto.
6. Di solito il giovedì sera andiamo al cinema; ma giovedì scorso .... a teatro.
7. Di solito Pino prende l'autobus per andare al lavoro; ieri però .... la macchina.
8. Dopo pranzo Maura e Luca bevono sempre il caffè; oggi però .... un amaro.
9. Arriviamo sempre puntuali al lavoro, ma stamattina .... in ritardo.
10. Di solito guardiamo film romantici; ieri sera invece .... un film d'azione.
11. Spesso il sabato esco con gli amici; questo sabato invece .... da solo.
12. Leggo spesso romanzi d'avventura; il mese scorso .... un romanzo giallo.

32 ***Cosa è successo?*** **Descrivi le immagini usando il passato prossimo del verbo dato, come nell'esempio in blu.** Transcodifica ●●

1. Questi ragazzi sono andati in vacanza.

2. ....
....
....

3. ....
....
....

4. ....
....
....

5. ....
....
....

6. ....
....
....

7. ....
....
....

8. ....
....
....

9. ....
....
....

10. ....
....
....

11. ....
....
....

12. ....
....
....

33 ***La casa di Andrea.*** **Sono le 8.20 e Andrea è andato all'università. Guarda le immagini e racconta che cosa ha fatto o non ha fatto prima di uscire di casa.**

Transcodifica

34 19 ***Dalla banca al mar Rosso.* Ascolta il testo e trascrivi le parole mancanti, come nell'esempio in blu.** Trascrizione ●●

Ciao a tutti, mi chiamo Andrea, sono nato a Treviso (1) e ho 32 anni. .... (2) otto anni fa anni e ho iniziato subito a lavorare con l'intenzione di fare carriera. Per tre anni .... (3) in piccole aziende. Cinque anni fa, una importante banca di Milano mi .... (4) come consulente finanziario e uno stipendio molto più alto e io .... (5). Per tanto tempo .... (6) con la carriera, i soldi, le auto di lusso e i vestiti firmati ma poi ho capito che nella vita ci sono altre cose importanti come le passioni, i sogni e i sentimenti. Ho .... (7) e ho visitato i Carabi, la Thailandia, le Maldive, il Messico e la Tunisia e sono stato molte volte nel Mar Rosso. Qui .... (8) tante immersioni subacquee che sono la mia vera passione e l'anno scorso .... (9) un difficile esame da istruttore subacqueo. Così, tre mesi fa .... (10): ho lasciato un posto fisso, una vita sicura e un bello stipendio per inseguire il mio sogno e la mia passione. Ho deciso di cambiare vita e .... (11), dove ho cominciato a fare l'istruttore subacqueo in un villaggio turistico. Ho fatto una scelta coraggiosa ma sono contento di questa scelta perché .... (12) e ho capito che ogni giorno senza sorriso è un giorno non vissuto.

35 Dopo aver svolto l'attività 34, riferisci alla classe cosa hai capito. Lettura autentica ●

36 Dopo aver svolto l'attività 34, rispondi alle domande o completa le frasi. Lettura attiva ●

1. Quando e dove è nato Andrea? ....
2. Prima di lavorare in una banca di Milano, Andrea ....
3. Cosa ha creduto Andrea per tanto tempo? ....
4. L'anno scorso Andrea ....
5. Perché Andrea ha lasciato il suo posto fisso in banca? ....
6. Andrea ha fatto una scelta coraggiosa perché ....

➲ **Ora fai tu una domanda a un tuo compagno di classe.**

37 **Dopo aver svolto l'attività 34, sottolinea i verbi al passato prossimo e inseriscili nella griglia, come nell'esempio in blu.** Lettura focalizzata

-are	-ere	-ire	*irregolari*
....	....	....	Sono nato
....	....	....	....
....	....	....	....
....	....	....	....
....	....	....	....
....	....	....	....
....	....	....	....
....	....	....	....

38 20 **Ascolta il testo *La Nazionale italiana di calcio* e riferisci alla classe cosa hai capito.** Ascolto rilassato

39 **Ascolta il testo *La Nazionale italiana di calcio* (38) e rispondi alle domande o completa le frasi.** Ascolto attivo

1. Quando è nata la prima squadra Nazionale italiana? ....
2. Il 15 maggio 1910 ....
3. Quali maglie ha utilizzato all'inizio? ....
4. Perché i calciatori italiani si chiamano azzurri? ....
5. Negli anni Trenta l'Italia ....
6. Nel 2006 l'Italia ....

Ora fai tu una domanda a un tuo compagno di classe.

40 **Ascolta il testo *La Nazionale italiana* *di calcio* (38) e svolgi le seguenti attività.** Ascolto analitico

A. Scrivi i verbi che si riferiscono alla Nazionale italiana di calcio, come nell'esempio in blu.

è nata	....	....	....	....
....	....	....	....	....
....	....	....	....	....

B. Scrivi in quali anni la Nazionale italiana di calcio è stata campione del mondo.

....	....	....	....

41 ***Lo scorso fine settimana.*** **Indica nella griglia che cosa hai fatto lo scorso fine settimana; poi raccontalo ai tuoi compagni di classe.** Interpretazione

	alzarsi (orario)	lavorare	studiare	andare (dove)	uscire a pranzo/ cena	preparare qualcosa di buono	pulire casa	chattare	riposarsi	incontrare gli amici	guardare la tv	annoiarsi
venerdì												
sabato												
domenica												

42 ***Parliamo di vacanze.*** **Chiedi a un tuo compagno di classe di indicare sotto cosa ha fatto durante le vacanze. Poi riferisci queste informazioni a tutti i tuoi compagni di classe.**

Interpretazione ●●

prendere l'aereo, la nave o il treno ☐	fare fotografie o filmati ☐	visitare musei, monumenti o città, quali? ☐	dormire in albergo, in campeggio o da amici ☐	fare sport, che tipo di sport? ☐
leggere un libro, quale? ☐	scrivere sms, cartoline o email, a chi? ☐	mangiare nuovi cibi, quali? ☐	andare a dormire e svegliarsi tardi, perché? ☐	spendere molti soldi, per cosa? ☐
imparare cose nuove, cosa? ☐	rilassarsi e dormire molto ☐	parlare una lingua straniera, quale? ☐	conoscere persone nuove e fare nuove amicizie, chi? ☐	fare escursioni, dove? ☐
prendere il sole e fare i bagni ☐	avere qualche problema, quale? ☐	andare a dormire e svegliarsi presto, perché? ☐	noleggiare una macchina, un motorino o una bici ☐	assistere a un evento particolare, quale? ☐

ALBERGO

43 **Incolla qui una foto delle tue vacanze e poi raccontale seguendo i punti dati sotto. Devi scrivere circa 60-80 parole.**

Espansione ●●

posto durata persone
tipo di alloggio mezzo di trasporto
itinerario luoghi visitati
sport praticati divertimenti
persone conosciute esperienze fatte
cosa è piaciuto di più
cosa è piaciuto di meno

....
....
....
....
....
....
....
....
....

44 **Scrivi cosa hai fatto ieri o il fine settimana scorso. Devi scrivere circa 80-100 parole.**

Composizione ●●

....
....
....
....
....
....
....
....
....
....
....

45 **Scegli una di queste immagini e scrivi una storia usando il passato prossimo. Devi scrivere circa 100-120 parole.**

Composizione ●●

A

B

C

46 **Fai alcune delle seguenti domande a un tuo compagno di classe e poi rispondi alle sue.**

Esposizione ●

1. Quali sono le prime tre cose che hai fatto dopo che ti sei alzato?
2. Quali sono le ultime tre cose che hai fatto prima di andare a dormire?
3. Che cosa hai voluto/dovuto fare nei giorni scorsi?
4. Che cosa non hai potuto fare nei giorni scorsi?
5. Quali esperienze lavorative hai avuto? Puoi raccontarle?
6. Come hai organizzato un viaggio, da solo/a o con gli amici?
7. Come hai festeggiato il tuo ultimo compleanno?
8. Che cosa hanno detto ieri sera al telegiornale?

Riferirsi a persone e cose:
pronomi soggetto, diretti e riflessivi

Tabella 34. Osserviamo

PRONOMI SOGGETTO

	parlare di sé / di qualcuno/qualcosa			parlare con qualcuno	
	♂	♀		♂♀	
Singolare	io		Io sono italiano.		
				tu	Tu di dove sei?
	lui		Lui viene dalla Svezia.	Lei	Signor Pini, Lei di dov'è?
		lei	Lei è arrivata ieri.		Signora Leni, Lei di dov'è?
Plurale	noi		Noi studiamo all'università.		
				voi	Voi di dove siete?
	loro		Loro sono al bar.		

1 **Leggi le seguenti frasi e trova il soggetto, come nell'esempio in blu.** Individuazione

	IO	TU	LUI/LEI/LEI	NOI	VOI	LORO
1. Abito in un appartamento in centro.	✓	⬡	⬡	⬡	⬡	⬡
2. Conosciamo Mario solo da pochi giorni.	⬡	⬡	⬡	⬡	⬡	⬡
3. Di solito preferiscono il caffè.	⬡	⬡	⬡	⬡	⬡	⬡
4. Vieni con noi al cinema?	⬡	⬡	⬡	⬡	⬡	⬡
5. Preferite un caffè o un cappuccino?	⬡	⬡	⬡	⬡	⬡	⬡
6. Non so suonare il pianoforte.	⬡	⬡	⬡	⬡	⬡	⬡
7. Parli bene l'italiano, complimenti.	⬡	⬡	⬡	⬡	⬡	⬡
8. Le mie amiche francesi arrivano domani.	⬡	⬡	⬡	⬡	⬡	⬡
9. Signor Cellini, come sta?	⬡	⬡	⬡	⬡	⬡	⬡
10. Arrivo con il treno delle 20.	⬡	⬡	⬡	⬡	⬡	⬡
11. Sei proprio simpatica.	⬡	⬡	⬡	⬡	⬡	⬡
12. Professore, conosce la nuova segretaria?	⬡	⬡	⬡	⬡	⬡	⬡

2 **Completa con i pronomi soggetto, come nell'esempio in blu.** Completamento

1. Questo bambino nella foto sei tu?
2. Stasera andiamo al cinema; volete venire anche ....?
3. Ti presento due amici: .... è Carmen, una ragazza spagnola, e .... è John, un ragazzo inglese.
4. Hai chiamato .... ieri sera?
5. Maria e Luca hanno idee diverse sugli ufo; .... è sicura che ci sono, ... no.
6. Sono .... i tuoi colleghi? Sì, sono proprio ....
7. Se preferisci, puoi restare a casa ma .... vado al cinema.
8. Solo .... puoi fare una cosa del genere.
9. È Sonia la ragazza che studia con te? No, non è ....
10. .... e mia sorella abbiamo gusti diversi; .... preferisce i vestiti classici, ... quelli sportivi.
11. Se .... vi lamentate che siete precari, che dobbiamo dire .... che siamo disoccupati?
12. Il telefono sta squillando; rispondi .... o rispondo ....?

Tabella 35. Osserviamo

PRONOMI RIFLESSIVI

	parlare di sé / di qualcuno/qualcosa		parlare con qualcuno	
Singolare	mi	Di solito mi sveglio presto.		
Singolare			ti	A che ora ti svegli di solito?
Singolare	si	Luca si è trasferito per lavoro.	si	Signor Pini, come si trova in Italia?
Singolare	si	Maria si prepara per la festa.	si	Signora Leni, come si trova qui?
Plurale	ci	Ci siamo incontrati l'anno scorso.		
Plurale			vi	Da quanto tempo vi conoscete?
Plurale	si	Questi ragazzi si vestono alla moda.		
Plurale	si	Quelle ragazze si truccano troppo.		

3 Leggi le seguenti frasi e indica a chi si riferisce il pronome riflessivo, come nell'esempio in blu.

Individuazione

	IO	TU	LUI/LEI/LEI	NOI	VOI	LORO
1. Ti sei preparata?		✓				
2. Ci conosciamo da molto tempo.						
3. Di cosa si occupa suo marito, signora?						
4. Hanno ritardato perché si sono svegliati tardi.						
5. Vi ricordate quali pagine dovete studiare?						
6. Un attimo, mi pettino e sono pronta.						
7. Si è arrabbiata tanto con me.						
8. Signor Meandri, come si sente adesso?						
9. Si sono incontrate alla fermata dell'autobus.						
10. Sono contento che ti sei divertita alla mia festa.						
11. Non si sente a suo agio perché è timida.						
12. Mi sono dimenticata di comprare le uova.						

Tabella 36. Osserviamo

VERBI MODALI CON I PRONOMI RIFLESSIVI			
io	mi	devo/posso/voglio	svegliare
			svegliarmi
tu	ti	devi/puoi/vuoi	svegliare
			svegliarti
lui/lei/Lei	si	deve/può/vuole	svegliare
			svegliarsi
noi	ci	dobbiamo/possiamo/vogliamo	svegliare
			svegliarci
voi	vi	dovete/potete/volete	svegliare
			svegliarvi
loro	si	devono/possono/vogliono	svegliare
			svegliarsi

4 **Descrivi ogni immagine usando un verbo riflessivo, come nell'esempio in blu.**

Transcodifica ●●

1. Questo ragazzo si fa la barba (si sta facendo la barba) / si rade (si sta radendo) / si prepara (si sta preparando) per andare al lavoro.
2. ....
3. ....
4. ....
5. ....
6. ....
7. ....
8. ....
9. ....

5 Volgi i verbi dell'attività 4 al passato, come nell'esempio in blu. Sostituzione ●●

1. Questo ragazzo si è fatto la barba / si è raso / si è preparato per andare al lavoro.
2. ....
3. ....
4. ....
5. ....
6. ....
7. ....
8. ....
9. ....

Tabella 37. Osserviamo

PRONOMI DIRETTI

	parlare di sé / di qualcuno/qualcosa			parlare con qualcuno	
Singolare	mi		Mi puoi aiutare?		
Singolare				ti	Se vuoi, ti posso aiutare.
Singolare	lo		■ Vuoi un caffè? ➤ Grazie, lo prendo volentieri.	La	Signor Pini, quando La trovo in ufficio?
Singolare		la	■ Compri tu la frutta? ➤ Sì, la compro io.		Signora Leni, se vuole La accompagno.
Plurale	ci		Maria ci vuole invitare alla sua festa.		
Plurale				vi	A che ora vi posso chiamare?
Plurale	li		■ Chi cura i malati? ➤ Li cura il medico.		
Plurale		le	Ama molto le rose e le compra spesso.		

PRONOME PARTITIVO *NE*

Ho preparato una torta. Ne vuoi una fetta?	Ho preparato dei biscotti. Ne vuoi alcuni?
Ho preparato un dolce. Ne vuoi un po'?	Ho preparato le lasagne. Ne vuoi un po'?

6 **Leggi le frasi e indica, come nell'esempio, a chi o a cosa si riferisce il pronome diretto o il pronome partitivo ne.** Individuazione

	IO	TU	LUI/LEI/LEI	NOI	VOI	LORO
1. Ci vengono a prendere stasera alle 8.				✓		
2. La incontro spesso al bar.						
3. Amo i viaggi ma ne posso fare pochi.						
4. Posso aiutarla signora?						
5. Mi puoi accompagnare all'aeroporto?						
6. Compro dei fiori e li metto in salotto.						
7. Conosco le regole ma le so usare poco.						
8. D'accordo signor Bellini, La chiamo stasera.						
9. Le conosciamo da poco.						
10. Vi vorrei invitare alla mia festa.						
11. Non ti sento, puoi ripetere?						
12. Che bella macchina! Ne vorrei una uguale.						

7 **Leggi le frasi e indica se il verbo è (Sì) o non è (No) riflessivo, come nell'esempio in blu.** Individuazione

	Sì	No
1. Mi vesto in fretta per non perdere tempo.	✓	
2. Ti chiamo stasera verso le otto.		
3. Mi ami veramente?		
4. Non ci ricordiamo l'orario delle lezioni.		
5. Si sveglia sempre tardi.		
6. Ti vediamo spesso alla fermata dell'autobus.		
7. In discoteca ci divertiamo molto.		
8. Oggi mi sento poco bene.		
9. Mi ascolti o no?		
10. Perché ti arrabbi così facilmente?		
11. Mi aiuti per favore?		
12. Vi informo che domani è sciopero generale.		

 8 **Abbina le domande alle risposte, come nell'esempio in blu.** Abbinamento

1. Prendi le chiavi?
2. Pulisci la camera?
3. Conoscete quelle ragazze?
4. Bevi il caffè?
5. Compri il prosciutto?
6. Vi piace la pasta?
7. Lavi i piatti?
8. Ascoltate la musica classica?
9. Aspettate l'autobus?
10. Vedi quegli alberi?
11. Studi matematica?
12. Hai 25 anni?

a. No, ne ho 28.
b. Sì, ne compro due etti.
c. Sì, li vedo.
d. No, non li lavo.
e. Sì, la studio.
f. Sì, la ascoltiamo.
g. No, non le conosciamo.
h. No, non lo aspettiamo.
i. Sì, le prendo.
l. Sì, la pulisco sempre.
m. Sì, ma ne mangiamo poca.
n. No, non lo bevo.

Tabella 38. Osserviamo

VERBI MODALI CON I PRONOMI DIRETTI		
mi	devi/puoi/vuoi	chiamare
		chiamarmi
ti	devo/posso/voglio	chiamare
		chiamarti
lo/la/La/ne	deve/può/vuole	chiamare
		chiamarlo/la/La/ne
ci	dovete/potete/volete	chiamare
		chiamarci
vi	dobbiamo/possiamo/vogliamo	chiamare
		chiamarvi
li/le/ne	devi/puoi/vuoi	chiamare
		chiamarli/le/ne

9 **Integra le risposte con i pronomi diretti (p.d.) e il verbo o l'espressione che preferisci, come negli esempi in blu.** Integrazione ●●

Che rapporto hai con...	(p.d.)	uso, guido, metto, mangio, frequento, guardo, ascolto, faccio, incontro, bevo, amo, compro, prendo, leggo, preparo	sempre, spesso, non ... mai, raramente, molto, poco, abbastanza, per niente, volentieri, non ... per niente, non ... affatto ecc.
1. *la TV?*	La	guardo	spesso.
2. *l'auto?*	Non la	guido	mai.
3. *la pasta?*	....	....	....
4. *il caffè?*	....	....	....
5. *le discoteche?*	....	....	....
6. *i libri?*	....	....	....
7. *gli amici?*	....	....	....
8. *le pulizie?*	....	....	....
9. *gli animali?*	....	....	....
10. *i fiori?*	....	....	....
11. *le canzoni italiane?*	....	....	....
12. *il computer?*	....	....	....

10 **Leggi le frasi e scrivi l'azione, chi la fa e chi la riceve, come negli esempi in blu.** Lettura focalizzata ●

	azione	chi la fa	chi la riceve	riflessivo	non riflessivo
1. Puoi chiamarmi stasera?	chiamare	tu	io		✓
2. Ti sei preparata?	preparare	tu	tu	✓	
3. A che ora ci vediamo domani?					
4. Ti hanno invitato?					
5. Vi siete divertiti?					
6. Quando vi siete incontrati?					
7. Non devi disturbarmi.					
8. Ci siamo sposati in chiesa.					

		azione	chi la fa	chi la riceve	riflessivo	non riflessivo
9.	Mi alleno due volte la settimana.					
10.	Ti sei informato sugli orari?					
11.	Mi ama tantissimo.					
12.	Non vi conosciamo.					

Tabella 39. Osserviamo

ACCORDO DEI PRONOMI DIRETTI CON IL PARTICIPIO PASSATO

		maschile	femminile
Singolare	mi	Mi ha salutato.	Mi ha salutato/a.
	ti	Ti ho salutato.	Ti ho salutato/a.
	lo	L'ho visto ieri.	
	la		L'ho vista ieri.
	La	Signor Mario, L'ho vista in centro.	Signora Luisa, L'ho vista in centro.
Plurale	ci	Sonia ci ha invitato/i alla sua festa.	Luca ci ha invitato/e alla sua festa.
	vi	Vi ho visto/i ieri.	Vi ho visto/e ieri.
	li	Li ho incontrati al bar.	
	le		Le ho incontrate al bar.

ACCORDO DEL PRONOME PARTITIVO *NE* CON IL PARTICIPIO PASSATO

■ Hai visto il film? ➤ Non tutto, ne ho visto solo la metà.	■ Ti è piaciuta la torta? ➤ Sì, ne ho mangiata molta.
■ Avete fatto molti errori? ➤ No, per fortuna ne abbiamo fatti pochi.	■ Avete fatto tante foto? ➤ Sì, ne abbiamo fatte più di cento.

In alcuni casi, con i pronomi diretti, o con il partitivo ne, il participio passato cambia; prova a spiegare in quali casi.

11 Abbina le frasi come nell'esempio in blu.

Abbinamento

1. Ho comprato un gelato
2. Ho incontrato Sofia
3. Ho avuto un problema
4. Ha comprato una cravatta firmata
5. Abbiamo comprato uno zaino
6. I nostri amici di Atene
7. Ho visto quei buoni pasticcini
8. Non metto la camicia bianca
9. Hanno comprato i biglietti
10. È felice perché
11. Non trovo le chiavi;
12. C'erano tanti libri interessanti,

a. e l'abbiamo regalato a Fabio.
b. ci hanno invitato in Grecia.
c. e ne ho comprati 3 etti.
d. e l'ho mangiato.
e. ma ne ho comprati solo due.
f. perché non l'ho ancora stirata.
g. e l'ho salutata.
h. le hai viste, per caso?
i. finalmente l'hanno assunta.
l. ma i miei amici mi hanno aiutato.
m. ma li hanno persi.
n. ma l'ha persa.

12 Completa le frasi accordando ai pronomi il participio passato, come nell'esempio in blu.

Completamento

1. Ho preparato una pizza e l'ho mangiata con gli amici.
2. Per festeggiare ho comprato un dolce e .... ho offert..... agli amici.
3. Non .... ho riconosciut..... perché sono molto diversi dalle foto.
4. Mi hanno regalato una cravatta ma non .... ho mai indossat......
5. Ho scritto una lettera e .... ho spedit......
6. Ha macchiato i pantaloni e .... ha dovut..... lavare.
7. Ho visto delle belle scarpe rosse e .... ho comprat..... subito.
8. Come è andato l'esame? .... hai superat.....?
9. Ho comprato quattro bigné e .... ho mangiat..... due.
10. Abbiamo fatto tante belle foto e .... abbiamo trasferit..... nel pc.
11. Ho perso la patente ma poi .... ho ritrovat......
12. Mi piacciono i fumetti, infatti da bambino .... ho lett..... tanti.

13 **Integra le battute utilizzando un pronome diretto o riflessivo, come nell'esempio in blu.** Integrazione ●●

scrivere lettera, spedire

Ieri ho scritto una lettera e l'ho spedita.

1. lavare camicie, stendere, stirare, mettere cassetto

2. prendere libro biblioteca, dovere riconsegnare dopo una settimana

3. comprare pizza surgelata, cuocere al forno, mangiare a cena

4. studiare lezione, ripetere ad alta voce, ricordare meglio la lezione

5. comprare rivista per leggere a casa, dimenticare al bar

6. scegliere CD, comprare, regalare Antonio

7. vedere bei fiori, comprare, portare a casa, mettere vaso

8. telefonare amici, invitare discoteca, divertirsi molto

9. comprare biglietto, timbrare prima di salire sul treno

10. svegliarsi presto, fare il caffè, bere il caffè

14 Integra le risposte utilizzando un pronome diretto o il partitivo ne, come nell'esempio in blu.

Integrazione

1. Con chi hai visto il film? L'ho visto con gli amici.
2. Scusa, dove hai messo i miei libri? ....
3. Chi ha guidato la macchina? ....
4. Dove hai parcheggiato il motorino? ....
5. Dove avete lasciato le valigie? ....
6. Quante lingue conosci? ....
7. Perché hai chiuso la finestra? ....
8. Dove avete comprato queste mele? ....
9. A chi hai mandato l'email? ....
10. Quando avete cambiato casa? ....
11. Chi vi accompagna all'aeroporto? ....
12. Quante sigarette fumi? ....

15 Individua la risposta corretta, come nell'esempio in blu.

Individuazione

1. **Hai già letto il giornale?**
   a. Sì, le ho letto.
   b. **Sì, l'ho letto.**
   c. Sì, ne ho letto.

2. **Avete ricevuto la mia cartolina?**
   a. Sì, l'abbiamo ricevuto.
   b. Sì, le abbiamo ricevuto.
   c. Sì, l'abbiamo ricevuta.

3. **Hai preso gli appunti?**
   a. No, non li ho preso.
   b. No, non li ho presi.
   c. No, non l'ho preso.
4. **Quando avete visto il film?**
   a. L'abbiamo visto ieri.
   b. Ci abbiamo visto ieri.
   c. Li abbiamo visti ieri.
5. **Avete preso i biglietti?**
   a. Sì, li abbiamo presi.
   b. Sì, l'abbiamo preso.
   c. Sì, li abbiamo preso.
6. **Dove ha ritrovato le chiavi?**
   a. L'ha ritrovato in ufficio.
   b. Le ha ritrovate in ufficio.
   c. Li ha ritrovati in ufficio.

7. **Ti va un caffè?**
   a. No grazie, li ho già preso uno.
   b. No, grazie, mi ho già preso uno.
   c. No, grazie, ne ho già preso uno.

8. **Dove sono i miei occhiali?**
   a. Li ho messi sul tavolo.
   b. L'ho messi sul tavolo.
   c. Li ho messo sul tavolo.

9. **Chi ha portato il dolce?**
   a. L' abbiamo portata noi.
   b. Li abbiamo portati noi.
   c. L'abbiamo portato noi.

10. **Chi ha stirato le camicie?**
    a. Mi ho stirate da solo.
    b. L'ho stirato da solo.
    c. Le ho stirate da solo.

11. **Come hai inviato il curriculum?**
    a. L'ho inviata via fax.
    b. Mi ho inviato via fax.
    c. L'ho inviato via fax.

12. **Quante mele hai comprato?**
    a. Li ho comprate un chilo.
    b. Mi ho comprato un chilo.
    c. Ne ho comprato un chilo.

16 **Descrivi le immagini usando un pronome diretto, come nell'esempio in blu.**

Transcodifica

1 Questo bambino compra/prepara un panino e lo mangia
Oppure: Questo bambino mangia un panino; lo mangia volentieri / con gusto.

2 ....

3 ....

4 ....

5 ....

6 ....

7 ....

8 ....

9 ....

17 **Volgi al passato i verbi dell'attività 16, come nell'esempio in blu.** Sostituzione

1. Questo bambino ha comprato / ha preparato un panino e l'ha mangiato.
2. ....
3. ....
4. ....
5. ....
6. ....
7. ....
8. ....
9. ....

18 ***Messaggi in segreteria*. Individua nei testi i 12 errori sui pronomi. Scrivili nella griglia e correggili, come nell'esempio.** Correzione ●●

A

Ciao Giuseppe e Marina, sono Laura. Non ci dimenticate che domenica sera siete invitati a casa mia. Li aspetto verso le otto, non mi fate aspettare. Penso di cucinare le pennette al salmone; li abbiamo mangiate anche l'altra volta ed erano davvero buone. Ho comprato anche il vino; le ho prese due bottiglie. Allora, lo vediamo domenica. Adesso vi saluto, ciao.

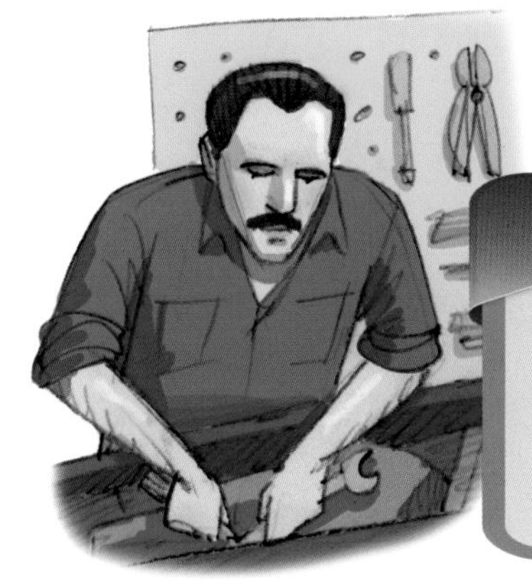

B

Signora Luisa, sono il meccanico Mario; le ho chiamata anche stamattina ma non l'ho trovata. Vorrei informarti che adesso la sua macchina è a posto. Ho dovuto aggiungere solo l'olio ma ti deve ricordare di controllarlo più spesso perché il motore si può bruciare. La macchina può la venire a ritirare da oggi pomeriggio. La saluto, buona giornata.

C

Ciao Michela, sono Elisa. Stamattina a lezione il professore ha ci informato che ha lasciato le dispense in biblioteca e chi vuole li può andare a ritirare. Io oggi pomeriggio vado all'università e se vuoi posso prenderle. Però me devi avvertire prima delle 4.00. Allora, aspetto che mi chiami. Ti abbraccio.

	1	2	3	4	5	6	7	8	9	10	11	12
Forma sbagliata	ci											
Forma corretta	vi											

19 **Dopo aver svolto l'attività 18, scrivi la risposta a uno dei messaggi usando i pronomi.** Composizione ●●

....

....

....

20 **Leggi i testi di *Messaggi in segreteria* (18) e rispondi alle seguenti domande o completa le frasi.**

Lettura attiva

1. Domenica sera ....
2. Perché Laura pensa di cucinare le pennette al salmone? ....
3. Perché il meccanico Mario telefona alla signora Luisa? ....
4. La signora Luisa deve ricordarsi ....
5. Il professore ....
6. Che cosa deve fare Michela se vuole le dispense? ....

Ora fai tu una domanda a un tuo compagno di classe.

21 **Leggi i testi di *Messaggi in segreteria* (18) e metti i pronomi riferiti ai seguenti nomi, come nell'esempio in blu.**

Lettura focalizzata

Giuseppe e Marina	vi	
Pennette	....	
Bottiglie di vino	....	
Laura	....	
Signora Luisa	....	....
Motore	....	
Macchina	....	
Dispense	....	
Michela	....	
Elisa	....	....

22 21 **Ascolta il dialogo *Al negozio di alimentari* e riferisci alla classe cosa hai capito.**

Ascolto rilassato

23 21 **Ascolta il dialogo *Al negozio di alimentari* (23) e rispondi alle domande o completa le frasi.** Ascolto attivo ●

1. Dove è andata la signora Mirella? ....
2. Che differenza c'è tra la mozzarella fresca e confezionata? ....
....
3. Che cosa prepara la signora Mirella con la mozzarella? ....
4. Il prosciutto cotto ....
5. Il signor Gino consiglia ....
6. La signora Mirella vuole anche ....

➲ **Ora fai tu una domanda a un tuo compagno di classe.**

24 21 **Ascolta il dialogo *Al negozio di alimentari* (23) e svolgi le seguenti attività.** Ascolto analitico ●

A. **Ascolta il dialogo e segna con ✓ i pronomi che senti.**

io	mi	tu	ti	lui	lo	lei
○	○	○	○	○	○	○
la	ne	noi	voi	li	le	loro
○	○	○	○	○	○	○

B. **Riascolta il dialogo e scrivi cosa compra la signora Mirella.**

	tipo	quantità
mozzarella	....	....
prosciutto	....	....
spaghetti	....	....

25 22 **Ascolta il dialogo *Dal dottore* e riferisci alla classe cosa hai capito.** Ascolto rilassato ●●

26 Ascolta il dialogo *Dal dottore* (25) e rispondi alle domande o completa le frasi.

Ascolto attivo

1. Che sintomi ha il signor Venanzi? ....
2. Per la dottoressa questi sono i sintomi ....
3. La dottoressa chiede al signor Venanzi se ....
4. Cosa ha fatto il signor Venanzi prima di andare dalla dottoressa? ....
....
5. Il signor Venanzi deve fare la cura ....
6. Quante compresse deve prendere al giorno il signor Venanzi? ....

Ora fai tu una domanda a un tuo compagno di classe.

27 Ascolta il dialogo *Dal dottore* (25) e svolgi le seguenti attività.

Ascolto analitico

A. **Segna con ✓ i pronomi che senti.**

io	mi	ti	Lei	lui	lo	ne
○	○	○	○	○	○	○
si	lei	la	ci	vi	li	le
○	○	○	○	○	○	○

B. **Riascolta il dialogo e scrivi quali compresse deve prendere il signor Venanzi.**

colore	quando	quante

28 Scrivi delle frasi per ogni sezione, usa alcuni pronomi, come negli esempi in blu. Puoi usare più di un pronome per ogni frase.

Composizione

Soggetto

io
tu
lui
lei
Lei
noi
voi
loro

Io sono uno studente. E tu?
....
....
....
....

Riflessivi

mi
ti
si
ci
vi
si

Mi sono svegliata tardi.

....

....

....

....

Diretti

mi
ti
lo
la
ci
vi
li
le

Ho una mela, la vuoi?

....

....

....

....

29 **Rispondi alle seguenti domande facendo attenzione a usare un pronome riflessivo o diretto e poi fai le stesse domande a un tuo compagno di classe.** Esposizione ●●

Ricordare ieri:
imperfetto indicativo

Tabella 40. Osserviamo

IMPERFETTO - VERBI REGOLARI					
-ARE	io tu	Parl- Guard- Cammin-	-a-		-o -i
-ERE	lui/lei/Lei noi	Scriv- Prend- Cred-	-e-	-v-	-a -amo
-IRE (gruppo a e b)	voi loro	Dorm- Sent- Prefer-	-i-		-ate -ano

Imperfetto significa *non finito*. Per questo si usa per:
- descrivere situazioni, cose e persone in momenti passati;
- parlare di abitudini passate;
- raccontare azioni passate ma presentate ancora in svolgimento.

Con l'aiuto dell'insegnante cerca di capire la differenza tra queste due frasi: *Ieri ho studiato* e *Ieri studiavo*.

1 Indica la coniugazione e scrivi la persona del verbo all'imperfetto, come nell'esempio in blu.

Individuazione

1. Ieri passeggiavamo in centro.
2. In quel periodo scrivevo molte lettere.
3. Io e mio fratello giocavamo spesso insieme.
4. Perché piangevi durante il film?
5. Ieri sera sentivamo della musica venire dalla strada.
6. Prima di sposarsi, mio padre già lavorava.
7. Da bambini credevate all'esistenza di Babbo Natale?
8. Da giovani i miei nonni abitavano in campagna.
9. Mia madre mi raccontava sempre delle belle storie.
10. Per il compleanno ricevevamo sempre tanti regali.
11. Quali cibi preferivi da piccolo?
12. Non capivamo il motivo della sua partenza.

-are	-ere	-ire	persona
✓			noi

2 **Leggi le frasi e indica la funzione dell'imperfetto, come nell'esempio in blu.**

Individuazione

	Descrizione	Abitudine passata	Azione passata in svolgimento
1. Da bambino andavo spesso a trovare i nonni.	○	✓	○
2. Alla festa c'erano molte persone simpatiche.	○	○	○
3. In quel momento guardavo la tv.	○	○	○
4. Quando ero piccola avevo i capelli lunghi.	○	○	○
5. Ieri pioveva e il cielo era nuvoloso.	○	○	○
6. Alle 9.30 ero a lezione e prendevo appunti.	○	○	○
7. In spiaggia stava sempre sotto il sole.	○	○	○
8. Ieri sera preparava la cena.	○	○	○

3 **Abbina le due colonne, come nell'esempio in blu.**

Abbinamento

1. Ogni domenica noi
2. Da piccola Angela
3. Fabio e Giorgio
4. Quali materie
5. All'università
6. Da ragazzi noi
7. A che ora
8. Quali sport
9. Perché Carla
10. A Lara
11. Da bambina io
12. Tanti anni fa

a. praticavate da bambini?
b. studiavo sempre in biblioteca.
c. parlavamo sempre di politica.
d. voleva andare via ieri?
e. mangiavamo il dolce della nonna.
f. piaceva ballare il tango.
g. viveva in un paesino in montagna.
h. mangiavo tante caramelle.
i. i computer non esistevano.
l. ti svegliavi in vacanza?
m. andavano ogni mercoledì in piscina.
n. preferivi a scuola?

Tabella 41. Osserviamo

IMPERFETTO - VERBI IRREGOLARI

	io	tu	lui/lei/Lei	noi	voi	loro
essere	ero	eri	era	eravamo	eravate	erano
fare	facevo	facevi	faceva	facevamo	facevate	facevano
dire	dicevo	dicevi	diceva	dicevamo	dicevate	dicevano
bere	bevevo	bevevi	beveva	bevevamo	bevevate	bevevano
tradurre	traducevo	traducevi	traduceva	traducevamo	traducevate	traducevano

4 Abbina le due colonne, come nell'esempio in blu.

Abbinamento

1. Da bambino Fabio
2. Al mare
3. In vacanza Silvia
4. A scuola
5. Ieri al cinema
6. Dopo la ginnastica Sandro
7. La domenica io e la mia famiglia
8. Cosa
9. Da bambini noi
10. Al ristorante
11. Voi
12. Un tempo le città

a. traducevo dal latino e dal greco.
b. i tavoli erano tutti occupati.
c. diceva il direttore?
d. stavo sempre sotto l'ombrellone.
e. erano meno inquinate.
f. mangiavamo tutti insieme.
g. dicevate spesso delle bugie.
h. faceva sempre tardi la sera.
i. era timido ma generoso.
l. c'erano tante persone.
m. beveva sempre molta acqua.
n. eravamo molto vivaci.

5 Coniuga i verbi irregolari dell'imperfetto e completa la griglia, come negli esempi in blu.

Completamento

io	tu	lui/lei/Lei	noi	voi	loro
....	eri	....	....	....	....
....	....	....	facevamo	....	....
....	....	....	....	....	bevevano
dicevo	....	....	....	....	....

6 *Ricordi d'infanzia*. Scrivi all'imperfetto i verbi tra parentesi, come nell'esempio in blu.

Sostituzione

Da bambina mi piaceva (1. piacere) molto la domenica perché non .... (2. dovere) andare a scuola e .... (3. potere) dormire fino a tardi. Quando .... (4. svegliarsi), ... (5. sentire) il profumo dei biscotti che ogni domenica mia madre .... (6. preparare). .... (7. Fare) un'abbondante colazione e poi io e mio fratello Michele .... (8. andare) in giardino a giocare a nascondino o con la palla. Qualche volta .... (9. venire) a trovarci Valeria e Riccardo, i nostri cuginetti, e .... (10. rimanere) con noi a giocare tutto il giorno. Mio padre di solito .... (11. occuparsi) del giardino o .... (12. riposarsi) leggendo il giornale. Spesso tutti insieme .... (13. andare) a fare una passeggiata nella via principale del paese e prima di tornare a casa .... (14. passare) in pasticceria a comprare un dolce. A casa, poi, io e Michele .... (15. aiutare) la mamma ad apparecchiare la tavola e non .... (16. vedere) l'ora di cominciare a mangiare.

7 **Sostituisci, come nell'esempio in blu, i verbi dell'attività 6 alla terza persona. Dove è necessario, sostituisci anche i pronomi soggetto o gli aggettivi possessivi.**

Sostituzione ●●

Da bambina a Silvia piaceva ....

....

....

....

....

....

....

....

....

....

....

8 ***I romani e le terme*. Riscrivi il testo sostituendo i verbi al presente con i verbi all'imperfetto, come nell'esempio in blu.**

Sostituzione ●●

Gli antichi romani hanno la mania delle terme. Qui loro vanno spesso non solo per fare i bagni termali, ma anche perché si incontrano con gli amici e discutono di affari con i soci. Le terme sono spesso grandiose costruzioni: ci sono palestre dove i romani si allenano, campi da gioco dove praticano vari tipi di sport, biblioteche dove leggono i libri che preferiscono, sale da pranzo dove possono consumare pasti caldi e freddi. Le zone riservate agli uomini rimangono separate da quelle per le donne. Nelle terme quindi si svolge gran parte della vita sociale della città. La zona delle terme dove i romani fanno i bagni, comprende il *frigidarium*, che ha vasche di acqua fredda; il *tepidarium*, che è un locale riscaldato a temperatura moderata per abituare il corpo al calore; il *calidarium* dove ci sono grandi vasche per i bagni caldi.

Gli antichi romani avevano la mania delle terme. ....

....

....

....

....

....

....

....

9 Completa i minidialoghi con i verbi all'imperfetto, come nell'esempio in blu. Completamento

1
- Quanto tempo trascorrevano con te i tuoi genitori?
- Non molto perché .... tutto il giorno.
- Anche i miei; per questo .... spesso con i nonni.

2
- Dove .... in vacanza da piccoli?
- I nostri genitori ci .... al mare.
- Noi invece .... in montagna.

3
- Perché .... poche persone alla festa di Laura?
- Molti .... in vacanza.
- Per questo Laura .... un po' triste.

4
- Da piccola quali giochi .... Luisa?
- .... spesso a nascondino.
- Io invece .... a fare il prestigiatore.

5
- Dove .... quando ti ho chiamato?
- .... lezione all'università; .... dirmi qualcosa?
- Ti .... invitare in pizzeria per sabato sera.

10 ***La toletta di Nicolino*. Completa il testo con i verbi della griglia, come negli esempi in blu.** Selezione

Ogni mattina succedeva (1) una specie di lotta per lavare e pettinare Nicolino, che .... (2) l'acqua e detestava il pettine, proprio come il suo cagnolino Ruffo. La sorella .... (3) prenderlo fra le gambe, poi gli .... (4) un asciugamano sul collo e lo teneva (5) fermo davanti all'acqua, mentre con una mano gli .... (6) la faccia. Ma faticava molto perché Nicolino si muoveva violentemente e .... (7) forte. Quando la sorella lo .... (8) per bene, lui .... (9) a gridare perché non .... (10) assolutamente farsi pettinare. Le domeniche, quando .... (11) il barbiere per fare la barba al papà, Nicolino scappava fuori di casa perché aveva paura per i suoi capelli, e .... (12) solo quando il barbiere era andato via.

asciugava	rientrava	temeva	teneva
gridava	continuava	succedeva	doveva
metteva	voleva	lavava	veniva

11 Descrivi le persone che vedi nelle foto, integrando queste informazioni con verbi all'imperfetto e altri elementi che conosci. Integrazione ●●

Sara

magra | capelli castani e occhi verdi | socievole | volentieri a scuola | sempre i compiti
maestra molto brava | bicicletta | casa grande in campagna | due cani e un gatto | palla con i fratelli

Da bambina Sara era magra ....

Valerio

capelli e occhi neri | timido | appartamento in centro
matematica | fumetti | piscina ogni sabato
lezioni di pianoforte due volte a settimana
da grande: astronauta

Da bambino Valerio aveva i capelli e gli occhi neri; ....

Tabella 42. Osserviamo

IMPERFETTO PROGRESSIVO								
			-ARE		-ERE		-IRE	
io	in quel momento in quel periodo	stavo	parl- guard- cammin-	-ando	scriv- prend- ved-	-endo	dorm- part- fin-	-endo
tu		stavi						
lui/lei/Lei		stava						
noi		stavamo						
voi		stavate						
loro		stavano						

12 ***La settimana bianca*. Riordina nella giusta sequenza le tre parti del dialogo fra Riccardo e Laura, come negli esempi in blu.** Riordino

	A. Era così tanta?
	B. Ma come facevo? Ho finito le ferie.
1	C. Ciao Laura, come mai al lavoro? Ma non eri partita per la settimana bianca?
	D. Ciao Riccardo, eh sì, ma sono tornata proprio ieri sera, con la nostalgia della neve.
	E. Potevi rimanere ancora qualche giorno, no?
	F. Oh, sì. Che paesaggi, che aria pulita! E quanta neve!
	G. Capisco, i giorni passano in fretta. Ma ti sei divertita molto, immagino.
	H. Sono sicuro che sei stata una brava alunna.
8	I. Dicevano quasi due metri.
	L. Beh insomma, proprio un corso no però ho preso qualche ora di lezione.
	M. Accidenti, davvero tanta! Allora sei diventata una sciatrice esperta!
	N. Brava non lo so, però cercavo sempre di seguire i consigli dell'istruttore.
	O. Ah quindi è stata la prima esperienza. Ma hai seguito un corso di sci?
	P. Assolutamente no! Pensa che era la prima volta che sciavo.
	Q. Beh, passeggiavo, prendevo il sole, facevo escursioni...
	R. Sì, ma come vedi sono tornata anche io in ufficio.
	S. Eh lo immagino, con quei paesaggi!
	T. Pensa che una volta ho anche dormito in un rifugio a 2000 metri.
15	U. Ma oltre a sciare, cosa facevi?
	V. Davvero? E io qui a lavorare; ma un giorno ci andrò anch'io!

13 Dopo aver svolto l'attività 12, individua le risposte giuste. Individuazione ●

1. **Riccardo**
   a. sapeva che Laura tornava oggi.
   b. non sapeva che Laura tornava oggi.
2. **Laura non è rimasta altri giorni perché**
   a. doveva tornare al lavoro.
   b. aveva finito i soldi.
3. **Quando è partita per la settimana bianca Laura**
   a. sapeva già sciare.
   b. non sapeva ancora sciare.
4. **Prima di sciare Laura**
   a. si è allenata molto.
   b. ha preso delle lezioni.
5. **Durante la settimana bianca Laura**
   a. camminava spesso.
   b. sciava tutto il giorno.
6. **Riccardo in futuro spera di**
   a. andare a fare la settimana bianca.
   b. avere più tempo libero.

14 Integra le seguenti frasi con un verbo all'imperfetto, come nell'esempio in blu. Integrazione ●●

1. Mentre guardavo il film, mangiavo.
2. Non è partita perché ....
3. Abbiamo incontrato Luigi, mentre ....
4. Pietro, da ragazzo, ...
5. Di solito in estate ...., ma l'anno scorso hanno preferito la montagna.
6. Ieri sera mentre Claudio stava guardando la TV, ...
7. Simone non è potuto uscire perché ieri sera ....
8. Abbiamo visto l'incidente mentre ....

15 Riordina le seguenti frasi, come nell'esempio in blu.

Riordino ●●

1. in quando cucinavamo eravamo salsicce campeggio spesso le

   Quando eravamo in campeggio cucinavamo spesso le salsicce.

2. dormendo perché Sandra era stava stanca ancora

   ....

3. con da spesso Susanna bambina suoi fratelli i giocava

   ....

4. a Panettone Natale mangiavamo sempre il

   ....

5. ma troppa la era spettacolo lo gente era bello

   ....

6. piovere cominciato stavamo è passeggiando quando a

   ....

7. nella Laura e classe Stefano liceo stavano andavano stessa al quando

   ....

8. quando non minuto lavorava un libero mai aveva

   ....

9. e ero quando a mi appunti lezione stavo hai prendendo chiamato

   ....

10. in gente macchine quando carrozza le non la esistevano andava

   ....

16 *L'Italia postbellica*. Leggi il testo e individua le risposte giuste.

Individuazione ●●

Nell'Italia postbellica, la vita era molto diversa da quella di oggi. La gente ricominciava a vivere con un po'di serenità dopo una guerra durata quasi cinque anni, ma non aveva tutte le comodità che ha la gente di oggi. Non esistevano i supermercati o i grandi centri commerciali e bisognava comprare in piccoli negozi come la macelleria, il forno, la merceria e la bottega degli alimentari. Molti alimenti non si vendevano come oggi. Il latte, per esempio, non era già confezionato ma era sempre fresco perché ogni mattina arrivava il lattaio in bicicletta e riempiva le bottiglie che la gente lasciava davanti alla porta di casa. Era normale preparare in casa molti cibi: liquori, marmellate, sottaceti e, soprattutto, pasta e dolci. Durante il giorno gli adulti lavoravano generalmente nei campi perché l'Italia era ancora un paese agricolo e le fabbriche erano poche. I bambini, invece, andavano

a scuola ma pochi continuavano a studiare all'università. A pranzo i componenti della famiglia si riunivano per mangiare insieme. L'elettricità non c'era in tutte le case; per questo la cena era molto presto e la gente andava a dormire poco dopo, soprattutto d'inverno perché spesso mancava anche il riscaldamento. I pasti erano molto semplici: c'erano molti cereali e legumi e un po' di formaggio, ma il secondo non c'era sempre. Gli elettrodomestici non c'erano oppure avevano una tecnologia molto semplice. Pochi avevano la televisione ma tutti avevano la radio per ascoltare le trasmissioni e il notiziario. I bambini avevano pochi giocattoli ma potevano incontrarsi in strada e fare giochi oggi quasi scomparsi come la campana, la corda e nascondino perché non c'erano molti pericoli né violenza.

1. L'Italia postbellica è
   a. l'Italia prima della guerra.
   b. l'Italia dopo la guerra.
2. La gente
   a. non poteva comprare nei supermercati.
   b. non voleva comprare nei supermercati.
3. Il lattaio
   a. portava le bottiglie di latte.
   b. metteva il latte nelle bottiglie vuote.
4. Gli adulti lavoravano
   a. soprattutto nei campi.
   b. soprattutto in fabbrica.
5. La gente mangiava carne
   a. spesso.
   b. raramente.
6. I bambini potevano giocare in strada perché
   a. c'era molto spazio.
   b. la vita era tranquilla.

17 Leggi il testo *L'Italia postbellica* (16) e metti ogni verbo all'imperfetto vicino al suo soggetto, come nell'esempio in blu. Lettura focalizzata ●●

La gente	Il lattaio	Gli adulti	I bambini	Pochi	Tutti
ricominciava	....	....	....	....	....
....	....	....	....	....	....
....	....	....	....	....	....
....	....	....	....	....	....
....	....	....	....	....	....
....	....	....	....	....	....

18 *Quando in città si giocava per le strade*. Ascolta il testo e individua le risposte giuste.

Individuazione

1. Ai tempi di nonno Aldo
   a. molti bambini andavano a scuola a piedi.
   b. tutti i bambini andavano a scuola a piedi.
2. Nonno Aldo e i suoi amici a volte giocavano
   a. nella piazza del Duomo.
   b. nel cortile della scuola.
3. Nelle strade c'erano
   a. più biciclette che macchine.
   b. più macchine che biciclette.
4. Nelle strade i bambini
   a. potevano giocare senza pericolo.
   b. dovevano fare attenzione ai pericoli.
5. Nonno Aldo a volte non andava a scuola
   a. perché doveva lavorare.
   b. perché doveva rimanere a casa.
6. Un tempo in città era molto diverso
   a. il centro storico.
   b. lo stile di vita della gente.

19 Ascolta il testo *Quando in città si giocava per le strade* (18) e inserisci nella tabella i verbi all'imperfetto che senti, come nell'esempio in blu.

Ascolto analitico

-are	-ere	-ire	irregolari
....	....	....	c'erano
....	....	....	....
....	....	....	....
....	....	....	....
....	....	....	....
....	....	....	....
....	....	....	....
....	....	....	....

20 *Abitudini del passato e di oggi*. Descrivi le immagini e le abitudini del passato e del presente, come nell'esempio in blu.

Transcodifica

1. lettera

Una volta la gente scriveva le lettere a mano e le spediva alla posta.

2. email

Adesso la gente scrive lettere al computer e le spedisce da casa.

3. mercato

....

4. centro commerciale

....

5. calesse

6. automobili

7. telegrafo

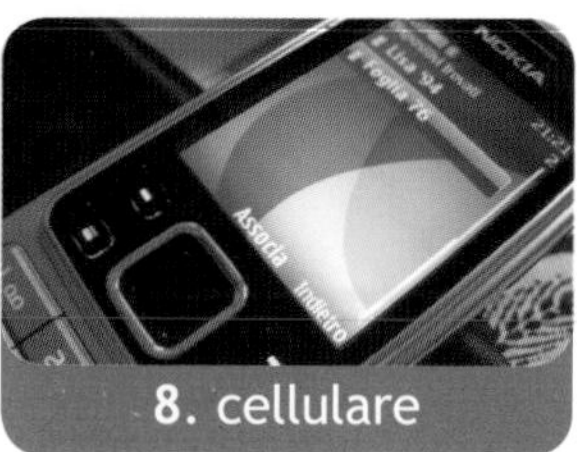

8. cellulare

21 Guarda le foto degli anni 50 e 60 del Novecento e descrivi le azioni che queste rappresentano, come nell'esempio in blu.

Transcodifica

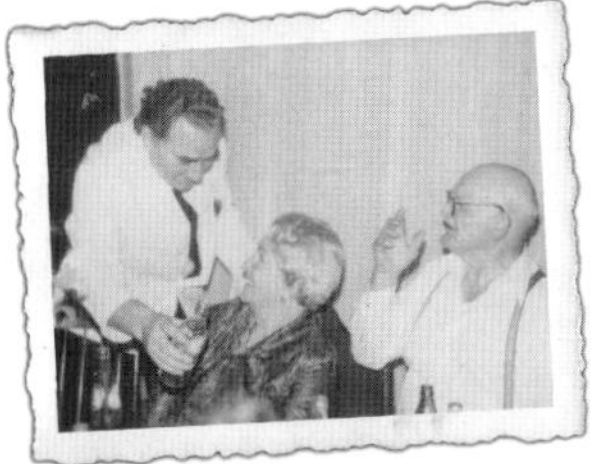
1 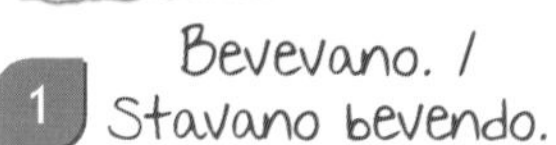
Bevevano. / Stavano bevendo.

2

3

4

5

6

7

8

9

10

11

12

22 24 ***Gli antichi romani e la vita quotidiana.*** **Ascolta il testo e trascrivi le parole mancanti, come nell'esempio in blu.**

Trascrizione ●

Roma nell'antichità era una città ricca (1) di negozi, mercati di ogni tipo e centri commerciali come ad esempio i Mercati di Traiano che .... (2) disposti su ben cinque piani. Questi negozi si chiamavano *tabernae* e .... (3): cibi freschi e secchi, profumi, stoffe, calzature, giocattoli, oggetti per la casa, prodotti per l'igiene personale. Qui c'erano anche sarti, calzolai e parrucchieri e le ricche signore romane .... (4) per incontrare le amiche e fare i pettegolezzi, proprio come oggi. I romani non .... (5) come la pasta, i pomodori e lo zucchero ma .... (6) che a noi sembrano davvero strane come il *garum*, a base di pesce marinato. I pasti principali, come per gli italiani di oggi, erano tre. Il primo .... (7) composta da pane intinto nel vino, formaggio, uova, frutta e miele. Poi .... (8) a base di verdure, carne fredda e frutta. Il pasto più importante, però, ... (9), che durava molto tempo: .... (10) subito dopo il bagno alle terme e .... (11) o la mattina dopo. Sulla tavola c'erano tantissimi tipi di carne, pesce, legumi, verdure, frutta e dolci. Una cosa che agli italiani di oggi può sembrare strana è che alle donne .... (12) bere vino.

23 **Dopo aver svolto l'attività 22, riferisci alla classe cosa hai capito.**

Lettura autentica ●

24 **Dopo aver svolto l'attività 22, rispondi alle domande o completa le frasi.**

Lettura attiva ●●

1. Nell'antica Roma ....
2. Cosa si poteva comprare nelle *tabernae*? ....
3. Le ricche signore romane andavano ....
4. Quali cibi non conoscevano i romani? ....
5. La cena durava ....
6. Quali cibi c'erano sulla tavola? ....

➲ **Ora fai tu una domanda a un tuo compagno di classe.**

25 **Dopo aver svolto l'attività 22, sottolinea i verbi all'imperfetto e inseriscili nella griglia, come nell'esempio in blu.** Lettura focalizzata ●

-are	-ere	-ire	irregolari
....	....	....	era
....	....	....	....
....	....	....	....
....	....	....	....
....	....	....	....
....	....	....	....
....	....	....	....
....	....	....	....

26 (25) **Ascolta il dialogo *Fotografie* e riferisci alla classe cosa hai capito.** Ascolto rilassato ●

27 (25) **Ascolta il dialogo *Fotografie* (26) e rispondi alle domande o completa le frasi.** Ascolto attivo ●

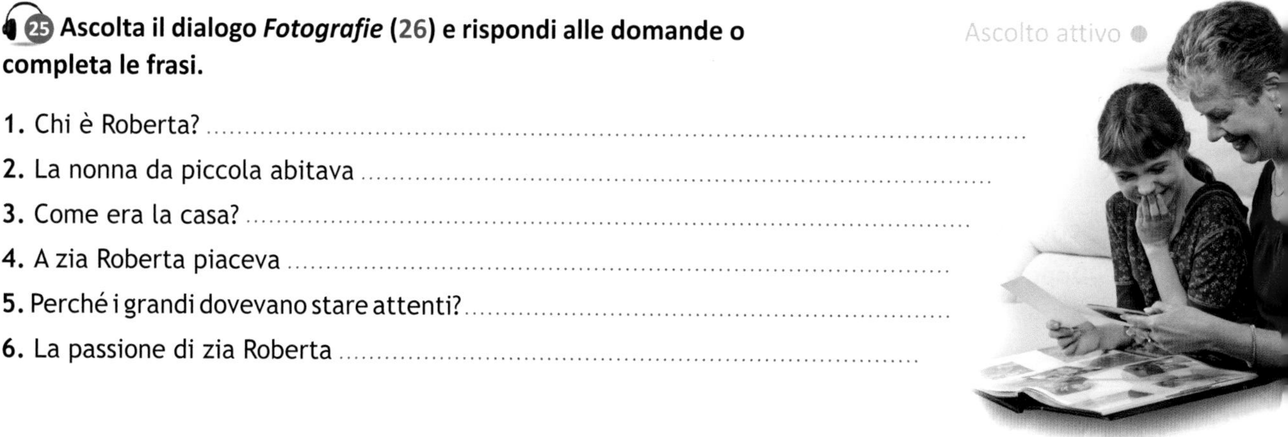

1. Chi è Roberta? ....
2. La nonna da piccola abitava ....
3. Come era la casa? ....
4. A zia Roberta piaceva ....
5. Perché i grandi dovevano stare attenti? ....
6. La passione di zia Roberta ....

28 (25) **Ascolta il dialogo *Fotografie* (26) e metti ogni verbo all'imperfetto vicino al suo soggetto, come nell'esempio in blu.** Ascolto analitico ●●

Soggetto	Verbi					
Zia Roberta	era					
Noi						
La casa						

29 **Incolla la foto di una persona che conosci bene e descrivila, seguendo alcuni di questi punti. Devi usare circa 60-80 parole.**

Espansione ●

- descrizione fisica
- descrizione del carattere
- materie preferite a scuola
- rapporto con i genitori
- amici più cari
- sport praticati
- descrizione della casa
- giochi preferiti

....

....

....

....

....

....

....

....

....

....

30 **Scrivi cosa facevi quando eri bambino/a, come passavi la tua giornata e quali erano le tue abitudini, facendo un confronto con la tua vita di oggi. Devi usare circa 80-100 parole.**

Composizione ●●

....

....

....

....

....

....

....

....

....

....

....

31 **Scrivi come era la tua città quando eri bambino/a e come è adesso. Devi usare circa 80-100 parole.**

Composizione

....

....

....

....

....

....

....

....

....

....

32 **Rispondi alle seguenti domande usando l'imperfetto e poi fai le stesse domande a un tuo compagno di classe.**

Esposizione

1. Come era la tua classe alle scuole elementari? E la tua maestra?
2. Che cosa sognavi di fare da grande quando eri piccolo/a?
3. Quale cibo ti piaceva di più e quale di meno quando eri piccolo/a?
4. Quale gioco preferivi quando eri più piccolo/a? Puoi descrivere questo gioco?
5. Come era la tua casa o appartamento quando eri piccolo/a e come è adesso?
6. Quale materia ti piaceva di più e quale di meno e perché?
7. Chi e come era il/la tuo/a migliore amico/a?
8. Dove e come passavi le vacanze quando eri piccolo/a?
9. Che cosa facevi l'anno scorso in questo periodo?
10. Che cosa stavi facendo ieri a quest'ora?

unità 10

Riferirsi a persone, cose e luoghi: pronomi indiretti, pronomi con preposizione, piacere, *ci* di luogo

Tabella 43. Osserviamo

PRONOMI INDIRETTI					
	parlare di sé / di qualcuno/qualcosa			parlare con qualcuno	
	(maschile)	(femminile)		(formale)	
Singolare	mi		Mi sembra una buona idea.		
Singolare				ti	Come ti è sembrata la festa?
Singolare	gli		Se vedi Paolo, gli puoi dare questo libro?	Le	Signor Pini, Le piace la pizza?
Singolare		le	Domani è il compleanno di Maria e le regalo un bel mazzo di fiori.	Le	Signora Leni, Le va un caffè?
Plurale	ci		La cucina italiana ci piace.		
Plurale				vi	Vi è piaciuto il film?
Plurale	gli (loro*)		Telefono ai miei amici / alle mie amiche e gli chiedo quando partono. (Telefono ai miei amici / alle mie amiche e chiedo loro quando partono.		

*Il pronome **loro** si usa dopo il verbo, in contesti formali e nella lingua scritta.

1 Leggi le frasi e indica a chi si riferisce il pronome indiretto, come nell'esempio in blu. Individuazione

	io	tu	lui	lei	Lei	noi	voi	loro
1. Mi interessa molto l'arte rinascimentale.	✓							
2. Ti spedisco la lettera domani.								
3. Ho incontrato i miei amici e gli ho offerto un caffè.								
4. Vi faccio tanti sinceri auguri.								
5. Le ho regalato una bella borsa.								
6. Ci hanno detto di tornare domani.								
7. Se Le serve la macchina può prendere la mia.								
8. Gli ho lasciato il mio cane mentre ero in vacanza.								
9. Mi manca il biglietto per l'autobus.								
10. Vi voglio tanto bene.								

2 Abbina le domande alle risposte, come nell'esempio in blu. Abbinamento

1. Cosa ti hanno regalato?
2. Che cosa ti ha detto Fabio?
3. Che cosa vi hanno offerto per cena?
4. Per cosa ti serve il numero di Giulia?
5. Da dove vi hanno scritto?
6. Perché non mangi il pesce?
7. Che camera vi devo riservare?
8. Gli hai telefonato?
9. Quanto Le devo?
10. I vostri amici sono partiti?
11. Gli hai spedito l'email?
12. Mi può dire dove devo scendere?

a. Non mi piace.
b. Dalla Germania.
c. Sì, ma aveva il cellulare spento.
d. Sì, e già ci mancano.
e. Le vorrei telefonare.
f. Una bella cravatta.
g. Che non può venire con noi.
h. Al capolinea.
i. Una doppia con bagno.
l. Tortellini e pollo con patate.
m. No, non avevo l'indirizzo.
n. 4 euro e 50.

Tabella 44. Osserviamo

VERBI MODALI CON I PRONOMI INDIRETTI		
mi	devi/puoi/vuoi	telefonare
		telefonarmi
ti	devo/posso/voglio	telefonare
		telefonarti
gli/le/Le	deve/può/vuole	telefonare
		telefonargli/le/Le
ci	dovete/potete/volete	telefonare
		telefonarci
vi	dobbiamo/possiamo/vogliamo	telefonare
		telefonarvi
gli	devi/puoi/vuoi	telefonare
		telefonargli

3 **Completa le frasi con il pronome indiretto, come nell'esempio in blu.**

Completamento

1. Ho telefonato a Mario perché gli volevo fare gli auguri di buon compleanno.
2. Ho visto Mara e .... ho chiesto come stava.
3. .... ho telefonato per sapere se hai ricevuto la mia email.
4. Abbiamo regalato una cravatta a Luca ma non .... è piaciuta.
5. I miei amici sono tornati in America e già .... mancano molto.
6. Se vedete Stefania, non .... dite niente per favore.
7. Signora Finelli, ... consiglio questa crema per il viso.
8. Scusate, per quante notti .... serve la camera?
9. Se la tua macchina è rotta posso prestar............... la mia.
10. Se hai un po' di tempo, ... vorrei offrire un caffè.

Tabella 45. Osserviamo

<table>
<tr><th colspan="6">MI/TI/GLI PIACE ... MI/TI/GLI PIACCIONO ...</th></tr>
<tr><td></td><td></td><td></td><td></td><td>nome</td><td>verbo</td></tr>
<tr><td>[a me]
[a te]
[a lui]
[a lei]</td><td rowspan="2">(non)</td><td>mi
ti
gli
le</td><td>piace</td><td>il teatro
la musica</td><td>viaggiare</td></tr>
<tr><td>[a Lei]
[a noi]
[a voi]
[a loro]</td><td>Le
ci
vi
gli</td><td>piacciono</td><td>i dolci
le favole</td><td></td></tr>
</table>

Come il verbo **piacere** si formano anche i verbi *interessare* e *sembrare*.

RICORDA

4 **Trasforma le frasi usando i pronomi indiretti e usa il presente del verbo *piacere*, come nell'esempio in blu. Se vuoi, utilizza le seguenti espressioni: molto, abbastanza, poco, non ... affatto.**

Trasformazione

1. *io e la pizza* A me piace la pizza; mi piace molto.
2. *loro e la cucina italiana* ....
3. *tu e i film italiani* ....
4. *lui e fare sport* ....
5. *lei e la musica pop* ....
6. *noi e giocare a palla* ....

7. *voi e l'arte italiana* ....
8. *io e le macchine sportive* ....
9. *Lei e i viaggi* ....
10. *noi e questa proposta* ....

5 ***Opinioni sull'Italia*. Utilizza le istruzioni della griglia e drammatizza dei dialoghi con un compagno, come nell'esempio in blu.**

Drammatizzazione

Argomento	clima, trasporti, auto, cinema, musica, città, moda, politici, gente, cibo, lingua ecc.
Verbi che puoi usare	piacere, interessare, sembrare
Lessico utile	molto, poco, non ... affatto, simpatico/a, noioso/a, necessario/a, bello/a, brutto/a, buono/a, cattivo/a, costoso/a, economico/a, divertente, utile ecc.

- Linda, cosa pensi del clima italiano?
- Mi piace molto.
- Linda dice che il clima italiano le piace molto.

Tabella 46. Osserviamo

MI/TI/GLI... È PIACIUTO/A MI/TI/GLI... SONO PIACIUTI/E					
				Nome	**Verbo**
[a me]		**mi**			
[a te]		**ti**			
[a lui]		**le**	**è piaciuto**	il film	partecipare
[a lei]	(non)	**gli**	**è piaciuta**	la pizza	
[a Lei]		**Le**	**sono piaciuti**	i regali	
[a noi]		**ci**	**sono piaciute**	le canzoni	
[a voi]		**vi**			
[a loro]		**gli**			

6 **Trasforma le frasi usando i pronomi indiretti e usa il passato prossimo del verbo *piacere*, come nell'esempio in blu. Se vuoi, utilizza le seguenti espressioni: molto, abbastanza, poco, non ... affatto.**

Trasformazione ●●

1. *io e il libro* — A me è piaciuto il libro; mi è piaciuto molto.
2. *loro e i dolci siciliani* ....
3. *tu e il film* ....
4. *Lei e l'opera alla Scala* ....
5. *noi e la partita* ....
6. *loro e andare in montagna* ....
7. *voi e la cerimonia* ....
8. *lei e le fotografie* ....
9. *lui e l'esperienza Erasmus* ....
10. *noi e la proposta* ....

7 ***Il problema dei regali.* Devi dare un consiglio su cosa regalare a queste persone. Ricorda di usare il pronome indiretto opportuno, come nell'esempio in blu.**

Integrazione ●

Per il loro compleanno, cosa posso regalare...

1. *al direttore?*
   Gli puoi regalare una bella penna. / Perché non gli regali una bella penna?
2. *a mia madre che invita spesso le amiche a casa?*
   ....
3. *a mio padre che fa sport?*
   ....
4. *a mia sorella che segue la moda?*
   ....
5. *a mio fratello che ha un ufficio nuovo?*
   ....
6. *ai miei nonni che hanno sempre freddo?*
   ....
7. *a mio zio cha ama la musica classica?*
   ....
8. *a mia zia che ama cucinare?*
   ....
9. *alle mie cugine che amano leggere?*
   ....
10. *a un mio amico che viaggia molto?*
   ....

8 **Descrivi ogni immagine usando un pronome indiretto, come nell'esempio in blu.**

Transcodifica

1 Questo bambino si deve lavare e la mamma gli fa il bagno.

2 ....

3 ....

4 ....

5 ....

6 ....

7 ....

8 ....

9 ....

Tabella 47. Osserviamo

PRONOMI CON PREPOSIZIONE					
	parlare di sé / di qualcuno/qualcosa			parlare con qualcuno	
Singolare				me	Vuoi venire al cinema con me?
				te	Vengo a studiare da te.
	lui		Esce spesso con lui.	Lei	Signor Pini, questa cravatta è per Lei.
		lei	Si è innamorato di lei.		Signora Leni, questi fiori sono per Lei.
	sé		È vanitoso/a; parla sempre di sé.		
Plurale				noi	Vuoi venire a cena da noi?
				voi	Penso spesso a voi.
	loro		Li/Le ho incontrati/e e sono andato a bere un caffè con loro.		
	sé		Sono egoisti/e pensano solo per/a sé.		

9 ***Scrivere un'email.*** **Individua nelle due email i 10 errori sui pronomi. Scrivili nella griglia e correggili, come nell'esempio in blu.** Correzione

Da: segreteria@libero.it
A: direzione@tiscali.it
Cc:
Oggetto: Invito al convegno

Egregio dottore, La scrivo perché le ho inviato un'email la settimana scorsa ma non ho ancora ricevuto una Sua risposta. Quindi gli mando una nuova email perché vorrei sapere se ha accettato il nostro invito a partecipare al convegno della nostra azienda. Infatti l'albergo che ho prenotato me ha chiesto di dare una conferma il prima possibile. Appena legge questa email, la chiedo cortesemente di rispondere. La ringrazio e la invio distinti saluti.

Da: leo.rossi81@msn.com
A: annaefede@yahoo.it
Cc:
Oggetto: non vengo al cinema

Cari Federico e Annalisa, volevo vi dire che purtroppo domani sera non posso venire al cinema con voi. Mi ha telefonato un amico da Milano e mi ha chiesto se gli posso andare a prendere alla stazione e ospitare un paio di giorni da me. Non l'ho potuto dire di no perché anche lei mi ha ospitato a casa sua quando sono andato a Milano. Comunque ci vediamo nei prossimi giorni. Ti abbraccio.

	1	2	3	4	5	6	7	8	9	10
Forma sbagliata	La scrivo	....	....	....	....	....	....	....	....	....
Forma corretta	Le scrivo	....	....	....	....	....	....	....	....	....

10 ***Lettera di invito.*** **Leggi la lettera di Ada e completa la risposta di Monica con i pronomi, come nell'esempio in blu.** Completamento

Cara Monica,
ti scrivo perché vorrei farti i miei migliori auguri di matrimonio. Sono contenta di sapere che ti sposi e ti ringrazio per l'invito. Ti assicuro che vorrei tanto venire ma ancora non ti posso dare la conferma perché forse quel giorno sono all'estero per lavoro. Però, appena so la data della mia partenza, ti mando un'email o ti chiamo direttamente, così ti dico esattamente se posso venire. Per questo ti prego di aspettare ancora qualche giorno. Intanto ti saluto.

Ada

Cara Ada,
non ti (1) devi preoccupare se ritardi qualche giorno a dar......... (2) una risposta. Ci sono anche altri invitati che, come te, non sanno ancora se potranno venire al mio matrimonio con Filippo. Come sai, voglio invitar......... (3) perché .... (4) fa piacere averti vicino in un giorno così speciale, ma capisco che anche il lavoro è importante. Appena puoi, ... (5) chiedo gentilmente di telefonar......... (6) per darmi una risposta precisa. .... (7) saluto caramente e aspetto che .... (8) chiami.

Monica

11 **Scrivi la lettera di Ada a Monica in maniera formale. Utilizza la forma di cortesia, come nell'esempio in blu.** Sostituzione

Gentile dott.ssa Dionisi,
Le scrivo perché ....
....
....
....
....
....
....
....
....
....
....

Ada Venditti

12 Integra le battute utilizzando un pronome diretto, indiretto o riflessivo, come nell'esempio in blu.

Integrazione ●●

1. telefonare Rosalba, augurare buon compleanno
   Ho telefonato a Rosalba e le ho augurato buon compleanno.
2. passare con il rosso, vigile fare multa, io pagare subito
   ....
3. piacere canzone, cantare spesso, imparare a memoria
   ....
4. piacere caffè, bere almeno due al giorno, bere senza zucchero
   ....
5. telefonare dentista, salutare, chiedere appuntamento
   ....
6. incontrarsi con Maria, regalare sciarpa per compleanno
   ....
7. incontrare Sandro, chiedere appunti, ringraziare
   ....
8. vedere Andrea, chiamare, offrire birra
   ....
9. comprare delle piante, mettere in terrazzo, annaffiare
   ....
10. trovare gattino, portare a casa, dare del latte
    ....
11. pizzeria ordinare 4 stagioni, non piacere, non finire
    ....
12. avere amici all'estero, vedere raramente, scrivere spesso
    ....

13 *La borsa*. Con un compagno drammatizza la seguente situazione fra Chiara (C) e Serena (S). Importante: ad ogni battuta ricorda di usare un pronome.

Drammatizzazione ●

1.	C dice a Serena che la borsa è molto originale e che è la prima volta che vede una borsa così.	S chiede se la borsa piace a C.
2.	C dice di sì, che le piace molto.	S risponde che anche a lei è piaciuta appena ha visto la borsa.
3.	C chiede a S dove ha comprato la borsa.	S dice che ha comprato la borsa in un negozio del centro.

4.	C chiede a S se può chiederle quanto ha pagato la borsa.	S risponde 140 €.
5.	C dice che le sembra un po' cara ma comunque la borsa è molto bella. Poi dice che anche lei vorrebbe comprare una borsa.	S dice a C che nel negozio hanno tante borse e che, se vuole, la può accompagnare così anche C può scegliere una borsa che le piace.
6.	C accetta e chiede a S quando la può accompagnare.	S risponde che se per C va bene, possono andare al negozio sabato.
7.	C risponde che va bene e ringrazia S.	S risponde: "Non c'è di che." e dice a C che se la chiama domani possono decidere l'orario.

Tabella 48. Osserviamo

CI DI LUOGO		
Il cinema mi piace e vado spesso al cinema.	Il cinema mi piace e ci vado spesso.	ci = al cinema
Prendo la valigia e metto i vestiti nella valigia.	Prendo la valigia e ci metto i vestiti.	ci = nella valigia

In italiano la particella **ci** si usa in riferimento a un posto, a un luogo che abbiamo nominato prima. Ha il significato di *in questo / quel posto/luogo.*

14 Scrivi nella colonna a fianco cosa sostituisce il ci nelle frasi, come nell'esempio in blu.

Sostituzione ●●

1. Sono già stato in Sicilia ma ci vorrei tanto ritornare. — in Sicilia
2. Il teatro mi piace molto ma ci vado poco perché costa caro. — ....
3. Se andiamo in Australia ci vogliamo rimanere almeno 15 giorni. — ....
4. Il caffè mi piace dolce, ci metto sempre due cucchiaini di zucchero. — ....
5. Ho comprato un armadio più grande così ci posso mettere tutti i miei vestiti. — ....
6. Torno spesso a Perugia perché ci abitano i miei. — ....
7. Se vai alla festa di Paolo, ci posso venire anch'io? — ....
8. Laura frequenta spesso la palestra, ci va sempre il lunedì e il mercoledì. — ....
9. Ieri siamo andati al lago e ci siamo rimasti tutto il giorno. — ....
10. La nostra città è piccola, ma ci stiamo bene. — ....

15 **Scrivi le frasi con la particella ci, come nell'esempio in blu.** Sostituzione

1. Prendo un bel vaso e nel vaso metto i fiori che ho comprato.
   Prendo un bel vaso e ci metto i fiori che ho comprato.

2. Ho lezione all'università ma non posso andare all'università perché c'è lo sciopero dei mezzi.
   ....
3. Sono andato al mercatino dell'usato ma non ho trovato niente al mercatino.
   ....

4. Se domani andate alla mostra, vengo anche io alla mostra.
   ....
5. Siamo andati in Spagna e siamo rimasti in Spagna quindici giorni.
   ....

6. Domani non vado in palestra perché sono stato oggi in palestra.
   ....
7. Ieri siamo andati al circo e abbiamo portato al circo anche i nostri figli.
   ....

8. Abbiamo preso la valigia e abbiamo messo nella valigia i nostri vestiti.
   ....

16 ***È arrivato il circo.* Seleziona i pronomi e completa il testo, come nell'esempio in blu.** Selezione

Ieri sono andato al circo per la prima volta. Ci (1) sono andato con mio padre che .... (2) ha accompagnato perché io sono ancora piccolo. Era tanto tempo che volevo veder.......... (3) ed ero molto curioso. Quando siamo arrivati, mio padre ha fatto i biglietti, ... (4) ha fatti due: uno intero per .... (5) e uno ridotto per me. .... (6) siamo seduti tra le prime file così ho visto lo spettacolo molto bene. .... (7) sono piaciuti gli equilibristi! Poi sono arrivati i leoni; il domatore .... (8) ha ordinato di saltare nei cerchi di fuoco e i leoni gli hanno obbedito. Il numero più divertente, però, è stato quello dei pagliacci. Quando sono entrati hanno cominciato a fare una grande confusione e a scherzare con il pubblico. A un certo punto un pagliaccio .... (9) è avvicinato a una ragazza e .... (10) ha regalato un fiore. Ma quando questa ragazza ha avvicinato il fiore al naso, dal fiore è uscito un getto d'acqua che ha bagnato il viso della ragazza. Così tutti hanno riso. Tutti gli artisti erano veri professionisti e .... (11) ho ammirati per la loro bravura. Purtroppo il circo arriva in città raramente, ma è uno spettacolo davvero bello e .... (12) vorrei tornare presto.

ci (luogo)	ne	lo	ci	mi	le
si	ci (luogo)	mi	lui	gli	li

17 **Individua quale tipo di ci è usato in ogni frase, come nell'esempio in blu.** Individuazione

	Pronome diretto	Pronome indiretto	Pronome riflessivo	*Ci* di luogo
1. Ci siamo incontrati al bar.	○	○	✓	○
2. Ci potete aiutare a spostare questo tavolo?	○	○	○	○
3. Professore, ci può dire la data dell'esame?	○	○	○	○
4. Ci puoi consigliare un buon ristorante qui vicino?	○	○	○	○
5. Ci vediamo domani davanti alla biblioteca.	○	○	○	○
6. È davvero una bella città e ci veniamo sempre volentieri.	○	○	○	○
7. Ci è piaciuto molto lo spettacolo.	○	○	○	○
8. La domenica ci svegliamo sempre tardi.	○	○	○	○
9. Ci bastano pochi soldi per comprare il regalo.	○	○	○	○
10. Ci conosce da tanto tempo.	○	○	○	○
11. Che bello il Marocco! Ci sono stata l'estate scorsa.	○	○	○	○
12. Ci trovi stasera a casa, telefona alle nove.	○	○	○	○

18 26 ***La passione di Casanova*. Ascolta il testo e trascrivi le parole mancanti, come nell'esempio in blu.** Trascrizione

A Venezia, nel XVIII secolo, la cioccolata era una bevanda molto diffusa e tutti la volevano (1). Solo i ricchi, però, ... (2) spesso perché costava molto. I caffè della città .... (3) con molta cura e .... (4) in tazze molto eleganti. Anche l'affascinante seduttore Giacomo Casanova, che amava le belle donne, era molto goloso di cioccolata e .... (5) una tazza ogni volta che poteva. Quando partiva per un viaggio, portava sempre una piccola grattugia e delle barrette di cioccolato così, quando voleva bere una buona cioccolata calda, prendeva una barretta, ... (6), poi la versava in una tazza di acqua o latte caldo e .... (7) a lungo per ottenere una bevanda omogenea con una schiuma leggerissima. Le amanti di Casanova conoscevano questa sua passione e quando .... (8) nelle loro belle case, ... (9) sempre una tazza di cioccolato caldo. Casanova amava la cioccolata non solo per il suo gusto ma anche perché lo teneva sveglio e .... (10) la forza necessaria per affrontare le fatiche dell'amore.

19 **Dopo aver svolto l'attività 18, riferisci alla classe cosa hai capito.** Lettura autentica

20 **Dopo aver svolto l'attività 18, rispondi alle seguenti domande o completa le frasi.** Lettura attiva

1. A Venezia nel XVII secolo chi e perché poteva bere la cioccolata spesso? ....
2. I caffè di Venezia ....
3. Come faceva Casanova a bere la cioccolata quando era in viaggio? ....
4. Le amanti di Casanova ....
5. Casanova amava tanto la cioccolata perché ....

Ora fai tu una domanda a un tuo compagno di classe.

21 **Dopo aver svolto l'attività 18, scrivi i pronomi nella griglia, come nell'esempio in blu.** Lettura focalizzata

Pronomi diretti	la								
Pronomi indiretti									

22 **Dopo aver svolto l'attività 18, indica a chi o cosa si riferisce il pronome di ogni frase, come nell'esempio in blu.** Individuazione

	Casanova	la cioccolata
1. la volevano	○	✓
2. la bevevano	○	○
3. la preparavano	○	○
4. la servivano	○	○
5. ne beveva una tazza	○	○
6. la grattugiava	○	○
7. la mescolava	○	○
8. lo invitavano	○	○
9. gli offrivano	○	○
10. gli dava la forza	○	○

23 27 **Ascolta il dialogo *In palestra* e riferisci alla classe cosa hai capito.**

Ascolto rilassato ●

24 27 **Ascolta il dialogo *In palestra* (23) e rispondi alle domande o completa le frasi.**

Ascolto attivo ●

1. Cosa chiede Giovanna a Filippo? ....
2. Giovanna non conosce bene la palestra perché ....
3. Vicino alla palestra ....
4. Gli istruttori ....
5. Perché Filippo ha quel tipo di abbonamento? ....
....
6. Perché Giovanna ha quel tipo di abbonamento? ....
....

➲ **Ora fai tu una domanda a un tuo compagno di classe.**

25 27 **Ascolta il testo *In palestra* (23) e svolgi le seguenti attività.**

Ascolto analitico ●

A. **Indica i pronomi che senti.**

io	mi	me	tu	ti	te	lui	lo
○	○	○	○	○	○	○	○
lei	la	noi	ci	voi	vi	li	le
○	○	○	○	○	○	○	○

B. **Inserisci nella griglia le informazioni necessarie.**

	da quanto tempo va in palestra	tipo di abbonamento
Filippo	....	....
Giovanna	....	....

26 28 **Ascolta il testo *In camera* e riferisci alla classe cosa hai capito.**

Ascolto rilassato ●●

27 **28** **Ascolta il dialogo *In camera* (26) e rispondi alle seguenti domande o completa le frasi.** Ascolto attivo

1. Elena ricorda bene la canzone *Cicale* perché ....
2. Dove e quando ha comprato Beatrice questo disco? ....
3. Cosa spera di trovare Elena a Porta Portese? ....
4. Cosa propone Elena a Beatrice? ....
5. Perché Beatrice dice a Elena di chiamarla sabato pomeriggio? ....

➲ **Ora fai tu una domanda a un tuo compagno di classe.**

28 **28** **Ascolta il dialogo *In camera* (26) e fai le seguenti attività.** Ascolto analitico

A. **Indica i pronomi che senti.**

io	mi	me	tu	ti	te	lui	lo
○	○	○	○	○	○	○	○
ne	**la**	**noi**	**ci**	**voi**	**vi**	**li**	**le**
○	○	○	○	○	○	○	○

B. **Inserisci nella griglia le informazioni necessarie.**

	quando	dove
Disco *Cicale*	....	....
Mercato di Porta Portese	....	....

29 **Rispondi alle seguenti domande facendo attenzione a usare un pronome (soggetto, riflessivo, diretto, indiretto o con preposizione) e poi fai le stesse domande a un tuo compagno di classe.** Esposizione

1. Hai mai avuto bisogno di aiuto? Chi hai chiamato e perché? Come ti ha aiutato?

2. Come ti organizzi prima di fare un viaggio? Cosa porti con te e cosa no? Perché?

30 **Scrivi alcune frasi utilizzando in ognuna i pronomi indiretti o i pronomi con preposizione, come nell'esempio in blu.** Composizione

Indiretti

mi
ti
gli
le
Le
ci
vi
gli

Mi piace la pizza.

....

....

....

....

Con preposizione

me
te
lui
lei
Lei
noi
voi
loro

Manda a me le email.

....

....

....

....

UNITÀ 1

• **Traccia 1:** *attività 15 (ascolto rilassato) e attività 16 (ascolto analitico)*

Il mio gatto

Mi chiamo Chiara, studio veterinaria perché mi piacciono molto gli animali. Ho un gatto che si chiama Teo; è molto carino ed è grigio. Le zampe sono robuste, la coda non è lunga e il muso è molto simpatico. Le orecchie sono piccole e appuntite; il naso è rosa e nero e gli occhi sono verdi. Beve molto latte e mangia la carne e il pesce. Quando vuole mangiare va vicino al frigorifero e miagola dolcemente. È molto vivace e spesso salta sulle sedie o sul tavolo. Quando è stanco dorme sul letto o sul divano.

• **Traccia 2:** *attività 27 (trascrizione)*

Arriva l'autunno

Quando arriva l'autunno, la gente è un po' triste perché le vacanze sono finite e ritornano il lavoro e la scuola che sembrano così lontani durante l'estate. Il vento fa cadere le foglie dagli alberi e la pioggia bagna la terra. Il sole tramonta presto, le giornate sono più corte e fa più fresco. Ma l'autunno è anche molto interessante. Il bosco è pieno di tanti colori e di cibi buonissimi, come i funghi e le castagne, e in campagna i contadini raccolgono l'uva per fare il vino. La nebbia ricopre il paesaggio e tutte le cose sembrano magiche.

UNITÀ 2

• **Traccia 3:** *attività 3 (abbinamento)*

1. Di dove sei?
2. Di dove sono quelle ragazze?
3. Scusi, che ore sono?
4. Dove è la mia penna?
5. Di dove siete?
6. Dove è il treno?
7. Quanti anni ha Maria?
8. Quanti esami ha ancora da dare?

• **Traccia 4:** *attività 4 (abbinamento)*

1. Siete italiani?
2. Dove è Luigi?
3. Dove è l'aula 12?
4. Siete voi i nuovi vicini?
5. Come mai siete in Italia?
6. Quante macchine ha Gianluca?
7. Che cos'hai?
8. Hai una Alfa Romeo?

• **Traccia 5:** *attività 21 (trascrizione)*

Pippi Calzelunghe

Pippi è una bambina molto particolare. I capelli sono di colore arancione come le carote. La bocca è grande e i denti sono bianchissimi. Pippi ha un naso piccolo, rotondo come una patatina e pieno di lentiggini. Pippi è sempre felice, non è mai stanca e non ha mai sonno. Pippi ha molti vestiti, un po' strani, ma molto simpatici. Il vestito che indossa oggi è di colore giallo come il sole. Questo vestito non ha le maniche, è corto e non arriva neanche al ginocchio. Sotto il vestito, Pippi indossa una maglietta e un paio di calze. La maglietta è bianca e ha le maniche corte. Le calze sono lunghe ma non hanno lo stesso colore: una calza è verde, mentre l'altra calza è nera. Anche le scarpe di Pippi sono nere e hanno il tacco basso. Oggi è una bella giornata e Pippi va a fare una passeggiata. Nella mano destra ha una vecchia valigia marrone; nella mano sinistra, invece, ha un grandissimo cappello che ha lo stesso colore del vestito. Pippi è felice mentre cammina sotto il cielo azzurro e sul prato verde che ha tanti fiori.

• **Traccia 6:** *attività 25 (ascolto rilassato), 26 (ascolto attivo) e 27 (ascolto analitico)*

Albergo Astoria

L'albergo *Astoria* è un grande albergo che ha 40 camere dotate di tutte le comodità. 20 camere sono singole, 6 sono matrimoniali, 8 sono doppie, 4 hanno tre letti e 2 hanno quattro letti ciascuna. In questo modo l'albergo può ospitare 68 persone. Tutte le camere hanno: bagno con doccia, televisore, telefono e frigorifero. Alcune camere offrono un bel panorama sul centro storico della città, altre danno sul castello che si trova in collina. La sala conferenze è per 30 persone, ha l'aria condizionata ed è anche adatta per organizzare riunioni o corsi d'aggiornamento. La piscina esterna dell'albergo è lunga 25 metri. Questa piscina è ideale per i bambini, che possono giocare nell'acqua, ma anche per i loro genitori, che hanno la possibilità di riposarsi sui lettini accanto alla piscina. Intorno alla piscina c'è anche un bel giardino con 6 tavoli ed è possibile fare delle grigliate.

UNITÀ 3

• **Traccia 7:** *attività 30 (trascrizione)*

Il giorno della laurea

Il giorno della laurea avete di fronte una severa e composta commissione di professori. Per presentare la tesi avete poco tempo, in genere 15-20 minuti per convincere la commissione che avete fatto un buon lavoro. Per dare una buona impressione alla commissione, vediamo qualche semplice e prezioso consiglio. Prima di tutto i vestiti possono essere classici o sportivi ma semplici. Di solito i professori hanno molti più anni e sono più tradizionalisti di voi; quindi per quel giorno è meglio non indossare vestiti troppo strani o eccentrici. Anche se non volete mettere giacca e cravatta per i ragazzi o tailleur per le ragazze, cercate però di evitare i jeans e le scarpe da ginnastica e indossate una camicia pulita e stirata. Se potete, durante la discussione della tesi, usate delle pratiche diapositive al computer che vi possono aiutare a ricordare meglio gli argomenti. Se il pc quel giorno non funziona, non dovete essere preoccupati o impauriti ma continuate a parlare anche senza le diapositive. Il consiglio migliore è quello di stare tranquilli; voi sapete della vostra tesi molto più di tutti i professori della commissione: avete lavorato tanto e sapete benissimo cosa dovete dire. Di sicuro, il giorno della laurea, è sempre indimenticabile.

- Traccia 8: *attività 34 (ascolto rilassato), 35 (ascolto attivo) e 36, 37 (ascolto analitico)*

Prima lezione di italiano

Oggi è il primo giorno di lezione e io sono davvero contento di iniziare. Sono in un'aula piccola con altri sette studenti e nell'aula c'è anche una piccola lavagna bianca. Il professore è giovane e sportivo, ha i capelli corti e gli occhi scuri. Io sono seduto fra un ragazzo e una ragazza. Il ragazzo si chiama Hans ed è tedesco. Ha gli occhi chiari, i capelli biondi ed è abbastanza alto. La ragazza, invece, è greca e si chiama Dìmitra. Ha i capelli biondi e gli occhi scuri. Vicino ad Hans c'è Qian, un ragazzo cinese, con i capelli scuri e corti, che porta un paio di occhiali, come Hans. Vicino a Dìmitra c'è Edna, una ragazza brasiliana, alta e sempre allegra, con gli occhi scuri e i capelli scuri e lunghi. Anche lei è molto sportiva. Io mi chiamo Pedro, sono spagnolo e ho i capelli e gli occhi scuri. Sono sportivo e felice di stare in Italia e studiare l'italiano. Gli altri tre ragazzi ancora non li conosco ma spero di conoscerli presto. Siamo tutti seduti intorno a un ta-volo ovale circondato da dieci sedie azzurre, come le pareti.

- Traccia 9: *attività 38 (ascolto rilassato), 39 (ascolto attivo) e 40 (ascolto analitico)*

Un albergo rumoroso

R. Buongiorno, desidera?
C. Buongiorno, senta dovrebbe esserci una stanza singola prenotata a nome di Cecchini.
R. Un attimo che guardo, dunque ... Cecchini ... una camera singola, sì, c'è, è la 247 al secondo piano.
C. La camera dà sull'interno, vero?
R. Vediamo, dunque ... una camera singola con bagno, a me risulta una camera sull'esterno.
C. Ma come? Ho telefonato quasi un mese fa per una camera sull'interno. Conosco Via Nazionale e so che è una strada molto trafficata e rumorosa, anche di notte.
R. Sì, in effetti questa prenotazione è di un mese fa e la camera prenotata è con bagno, però le finestre danno sulla strada purtroppo.
C. E come risolviamo questo problema?
R. Un attimo che controllo ... sì, c'è un'altra possibilità; c'è una stanza doppia sull'interno, è la 102 al primo piano, è senza bagno però.
C. Come senza bagno? Il bagno è essenziale in una camera.
R. Sì, la capisco. Comunque non è distante dalla camera.
C. No, no ... non se ne parla proprio.
R. Mi dispiace molto per questo inconveniente.
C. Ma non può trovare un'altra soluzione?
R. Beh, posso farle un piccolo sconto.
C. Vabbè. Allora prendo la camera che dà su Via Nazionale. Ma c'è una farmacia qui vicino?
R. Perché, non si sente bene?
C. No, no, non è questo. Ma vorrei comprarmi i tappi per le orecchie per dormire!

UNITÀ 4

- Traccia 10: *attività 26 (individuazione)*

Messaggi in segreteria

Messaggio n. 1: Ciao Maria, sono Pietro. Senti, ti va di venire al cinema? Al *Maestoso* c'è il nuovo film di Roberto Benigni. Aspetto una tua risposta.
Messaggio n. 2: Matteo, sono Rita. Ti ringrazio per l'invito ma purtroppo sabato sera ho un altro impegno e quindi non posso venire alla tua festa di compleanno. Mi dispiace tanto; comunque ci vediamo presto, ciao.
Messaggio n. 3: Pronto, Signor Beruschi, la chiamo dall'Hotel *Stella*. Le vorrei comunicare che la camera doppia che Lei ha prenotato dal 12 al 19 dicembre non è più disponibile. C'è una camera libera in un altro nostro albergo qui vicino. Va bene lo stesso? Aspetto una sua conferma, grazie.
Messaggio n. 4: Franco, nel frigorifero non c'è più niente. La carne è finita, la verdura è finita... e anche la frutta! C'è solo il latte. Devi fare la spesa altrimenti stasera non mangiamo!

- Traccia 11: *attività 37 (trascrizione)*

Lo stato più piccolo del mondo

Il più piccolo stato del mondo è il Vaticano. Nel suo piccolissimo territorio ci sono però immense ricchezze artistiche. Lo stato infatti comprende la Basilica di San Pietro, i Palazzi Vaticani dove abita il Papa, i musei e le biblioteche che conservano libri antichissimi. Nel Vaticano c'è anche la Cappella Sistina, famosa in tutto il mondo per gli affreschi di Michelangelo che rappresentano il giudizio universale. Lo stato del Vaticano è il centro della chiesa cattolica di tutto il mondo. Nei suoi splendidi palazzi lavorano molti religiosi che hanno contatti con quasi tutti i paesi del mondo. Ogni anno milioni di fedeli vengono qui da ogni parte del mondo ma le visite aumentano moltissimo in occasioni particolari e rare come il Giubileo che c'è ogni 25 anni e dura tutto l'anno. La Città del Vaticano ha una sua moneta, stampa i suoi francobolli e ha anche una piccola stazione ferroviaria.

- Traccia 12: *attività 41 (ascolto rilassato), 42 (ascolto attivo) e 43 (ascolto analitico)*

La felicità è...

(*Serena*) Ciao! Sono Serena, ho 25 anni e abito a Torino, nell'Italia del Nord, insieme ad altre due ragazze. Qui infatti lavoro da qualche anno nel campo del ci-

nema come scenografa. Io sono felice quando non ho problemi seri, di salute soprattutto, e poi quando non mi devo alzare presto la mattina, quando posso variare il mio lavoro e mangiare cose buone. Sono queste le cose che mi danno più felicità.
(*Luca*) Ciao, mi chiamo Luca, ho 22 anni e studio lingue moderne all'Università di Venezia. In questo periodo vivo a Berlino dove lavoro part - time in un museo di arte contemporanea e dove posso praticare il tedesco. Mangio tanta cioccolata e, per stare in forma, gioco a tennis o vado a correre al parco. Per me la felicità è nelle piccole cose quindi sono felice quando incontro i miei amici per giocare o mangiare insieme. Ma adesso la cosa che mi fa più felice è la mia ragazza.

UNITÀ 5

- Traccia 13: *attività 21 (trascrizione)*

Motorini in città

Nelle ore di punta il traffico nelle grandi città è molto intenso. Prima dell'apertura e dopo la chiusura degli uffici e dei negozi, le strade sono molto trafficate, perciò spostarsi in macchina o in autobus oppure camminare a piedi è quasi la stessa cosa. Solo i motorini si muovono facilmente perché sono piccoli e possono passare in mezzo ai veicoli più grandi. Le persone che usano il motorino possono arrivare puntuali al lavoro ma le persone che usano l'automobile o l'autobus arrivano spesso tardi perché rimangono bloccate nel traffico. I motorini sono pratici, però non sono comodi e bisogna stare sotto la pioggia quando piove e sotto il sole quando fa molto caldo. Sono anche un po' pericolosi, quindi è obbligatorio indossare il casco di protezione per guidare. Le persone che usano i motorini, mentre guidano, devono stare molto attente ma non sono stressate come le persone che usano la macchina o i mezzi pubblici.

- Traccia 14: *attività 26 (ascolto attivo), attività 27 (ascolto analitico)*

La mia camera

La mia camera è la parte della casa che preferisco e qui trascorro la maggior parte del mio tempo libero ascoltando musica, guardando la televisione e sognando. Si trova in fondo al corridoio, accanto al bagno; ha forma rettangolare e la divido con mia sorella Laura di tre anni e mezzo. Per ora il fatto di condividere la stanza con mia sorella non è un problema, forse perché abbiamo dieci anni di differenza e quindi Laura in camera non passa ancora molto tempo e non occupa tanto spazio con le sue cose. Passiamo ora alla descrizione della mia stanza: quando si entra si vedono subito i letti e il comodino. A sinistra della porta ci sono un mobile e un armadio. Sul mobile ci sono un televisore e uno stereo e dentro l'armadio ci sono i miei vestiti. A destra del letto ci sono una scrivania e una sedia; sopra la scrivania ci sono il computer e alcune foto e sotto la sedia a volte tengo delle riviste. Appesi al muro ci sono dei quadri, dei poster e un grande orologio. La finestra si trova fra l'armadio e la scrivania. Di fronte alla finestra c'è una libreria dove tengo tutti i miei libri. In mezzo alla stanza c'è un grande tappeto colorato. Sotto il letto, alcune volte metto le scarpe. Sono una ragazza disordinata, per questo mia madre si lamenta sempre ma non capisce che è il disordine è... una forma d'arte!

UNITÀ 6

- Traccia 15: *attività 25 (trascrizione)*

Il significato di vacanza

Non tutti hanno la stessa opinione di vacanza. Vediamo allora cosa dicono i componenti di questa famiglia su questo argomento.

- Mi chiamo Roberto e ho 23 anni; la mia vacanza ideale è una via di mezzo fra divertimento e studio; quest'anno, per esempio, penso di andare negli Stati Uniti per divertirmi insieme ai miei amici ma anche per praticare l'inglese.
- Io sono Linda e ho 17 anni; per me vacanza significa avere la possibilità di stare alcuni giorni con il mio fidanzato. Vorrei andare in un posto tranquillo e passare con lui una vacanza rilassante e divertente ma non so se mamma e papà sono d'accordo. Io sto crescendo, mi sento grande ma i miei genitori mi considerano ancora la loro bambina.
- Mi chiamo Antonio e ho 47 anni. Per me la vacanza più bella è insieme a mia moglie e ai miei figli; infatti durante l'anno gli impegni di lavoro mi tengono spesso lontano da casa e quando posso stare con la mia famiglia sono sempre felice.

Io sono Anna e ho 45 anni. Il mio lavoro e le mie faccende domestiche occupano tutto il mio tempo. Per questo, quando arriva il periodo delle vacanze, vorrei avere la possibilità di riposarmi e andare in un una bella spiaggia con poca gente insieme ai miei cari ma senza avere assolutamente niente da fare.
E voi come preferite passare le vacanze?

- Traccia 16: *attività 29 (ascolto rilassato), 30 (ascolto attivo) e 31 (ascolto analitico)*

Festa di compleanno

Anna: Ciao Federica, sono Anna, come va?
Federica: Bene grazie tu?
Anna: Tutto ok grazie. Federica, vorrei chiederti un favore.
Federica: Va bene, di che si tratta?
Anna: La prossima settimana è il mio compleanno...
Federica: Sì, lo so benissimo.
Anna: Vorrei organizzare una piccola festa e vorrei chiederti un consiglio.
Federica: Va bene, dimmi.
Anna: Come sai il mio appartamento è un po' piccolo e io non so come e dove posso fare questa festa.
Federica: Perché non chiedi ai tuoi nonni? La loro casa è proprio davanti al mare e ha anche un bel giardino.
Anna: Beh, mi sembra una buona idea.
Federica: Ma quante persone pensi di invitare?

Anna: Non tante, circa dieci.
Federica: E chi sono?
Anna: Beh, prima di tutto le nostre compagne di università Marina e Valentina, poi mia cugina Sofia con suo marito e anche un mio amico francese che si chiama Pierre e che in questi giorni si trova qui a Viareggio.
Federica: E tuo fratello non viene?
Anna: Veramente non lo so, ma forse preferisce uscire con la sua fidanzata.
Federica: Capisco, infatti a lui le feste di compleanno non piacciono.
Anna: Già, comunque mi può dire se viene anche all'ultimo momento, non è un problema. Anche con due persone in più, la situazione non cambia di molto.
Federica: No, infatti.
Anna: Senti, ti vorrei chiedere anche un'altra cosa.
Federica: Va bene.
Anna: Ci possiamo vedere domani intorno alle 5 a casa mia? Così mi aiuti a organizzare la festa e a decidere che cosa possiamo preparare.
Federica: Va bene, ci vediamo domani alle 5 a casa tua allora. Ciao, un abbraccio.
Anna: Grazie Federica, a domani.

- Traccia 17: *attività 32 (ascolto rilassato), 33 (ascolto attivo) e 34 (ascolto analitico)*

Prenotare una camera
R: Hotel *Iris* buongiorno.
L: Buongiorno, avete una camera libera per venerdì sera?
R: Penso di sì, che tipo di camera desidera?
L: Una doppia con bagno.
R: Sì, c'è, per quando le occorre?
L: Per tutto il fine settimana se possibile.
R: Sì, non c'è nessun problema.
L: Senta, come è la camera?
R: È una bella camera con ogni comodità al secondo piano.
L: Ma è sull'interno o dà sulla strada?
R: Dà sulla strada, perché?
L: Beh, allora mi sa che è rumorosa.
R: No, niente rumore; la strada è chiusa al traffico.
L: Ah, va bene. La colazione è inclusa nel prezzo?
R: Sì certo.
L: Ok, senta quanto viene la camera?
R: Il prezzo normale è 150 € ma in questo periodo c'è una promozione del 10%, quindi viene 135 € a notte.
L: Va bene, la prendo.
R: A quale nome?
L: Lorenzetti.
R: Con doppia T?
L: Sì, esatto.
R: A posto così, grazie.
L: Grazie a Lei, arrivederci.

UNITÀ 7

- Traccia 18: *attività 29 (individuazione)*

Del più e del meno
Dialogo n.1
B: Ciao Lisa, sei andata al corso di yoga ieri sera?
L: Ciao Beatrice, purtroppo no, sai, sono tornata tardi dal lavoro e non ho fatto in tempo. Poi mi ha chiamato Laura e mi ha proposto di andare a mangiare una pizza nella nuova pizzeria che hanno aperto vicino casa sua. La conosci?
B: Sì, ma ancora non ci sono andata; Laura ha invitato anche me ma ho dovuto dirle di no perché in questi giorni sto studiando per l'esame di storia. È da una settimana che sono chiusa in casa. Non vedo l'ora di dare anche questo esame così mi tolgo questo peso.
L: Ho capito. Allora, in bocca al lupo.
B: Crepi il lupo!

Dialogo n.2
C: Ehi, Matteo, ma che ci fai qui in ospedale?
M: Lascia stare Carlo, ho avuto un incidente; una macchina mi ha tagliato la strada e sono caduto dalla moto.
C: Ma ti sei ferito? Niente di grave spero ...
M: No, per fortuna non mi sono fatto niente. E tu, che fai qui?
C: Ho ritirato le analisi del sangue che ho fatto martedì scorso. Se vuoi, appena stai meglio possiamo andare a bere qualcosa.
M: Sì, volentieri! Scusa ma ora devo andare, mi sta aspettando il dottore.
C: Va bene, a presto!

Dialogo n.3
C: Ciao Marcello, che ci fai al bar a quest'ora?
M: Ehi, ciao Chiara, ho preso un giorno di ferie, sono tornato ieri sera tardi e non ce la facevo ad andare in ufficio.
C: Ma dove sei stato?
M: Sono stato tutto il fine settimana a Berlino.
C: Davvero? Non lo sapevo. Che bello! E che mi dici, ti è piaciuta?
M: Un sacco. Berlino è una città davvero interessante e piena di storia.
C: E con chi ci sei andato?
M: All'inizio pensavo di andarci da solo ma poi ho chiesto a Edoardo se voleva venire anche lui.
C: E lui ha accettato?
M: Beh, lo conosci, non ama molto viaggiare! Ma poi si è convinto quando gli ho detto che il biglietto costava solo 45 euro andata e ritorno. Così siamo partiti venerdì mattina e siamo ritornati domenica sera.

- Traccia 19: *Attività 34 (trascrizione)*

Dalla banca al Mar Rosso
Ciao a tutti, mi chiamo Andrea, sono nato a Treviso e ho 32 anni. Mi sono laureato in Economia otto anni fa e ho iniziato subito a lavorare con l'intenzione di fare

carriera. Per tre anni ho lavorato come contabile in piccole aziende. Cinque anni fa, una importante banca di Milano mi ha offerto un lavoro come consulente finanziario e uno stipendio molto più alto e io ho accettato con entusiasmo. Per tanto tempo ho creduto di essere felice con la carriera, i soldi, le auto di lusso e i vestiti firmati ma poi ho capito che nella vita ci sono altre cose importanti come le passioni, i sogni e i sentimenti. Ho fatto molti viaggi e ho visitato i Carabi, la Thailandia, le Maldive, il Messico e la Tunisia e sono stato molte volte nel Mar Rosso. Qui ho potuto fare tante immersioni subacquee che sono la mia vera passione e l'anno scorso sono riuscito a superare un difficile esame da istruttore subacqueo. Così, tre mesi fa mi sono licenziato dalla banca: ho lasciato un posto fisso, una vita sicura e un bello stipendio per inseguire il mio sogno e la mia passione. Ho deciso di cambiare vita e mi sono trasferito nel Mar Rosso, dove ho cominciato a fare l'istruttore subacqueo in un villaggio turistico. Ho fatto una scelta coraggiosa ma sono contento di questa scelta perché ho scelto con il cuore e ho capito che ogni giorno senza sorriso è un giorno non vissuto.

- Traccia 20: *attività 38 (ascolto rilassato), 39 (ascolto attivo) e 40 (ascolto analitico)*

La Nazionale italiana di calcio

La Nazionale italiana di calcio è nata nel 1910 e ha giocato la prima partita della sua storia il 15 maggio dello stesso anno contro la Nazionale di calcio francese. In questa partita la Nazionale italiana ha vinto per 6 a 2 e Pietro Lana ha segnato il primo goal. Per circa un anno la Nazionale italiana ha utilizzato maglie bianche con lo stemma di Casa Savoia e dal 1911 ha cominciato a utilizzare il colore della bandiera dei Savoia che è l'azzurro. Questo colore ha subito avuto successo ed è per questo che i giocatori della Nazionale italiana di calcio si chiamano azzurri. Negli anni Trenta la Nazionale italiana di calcio è stata una delle più forti del mondo; infatti ha vinto il campionato mondiale nel 1934 e nel 1938. Nel 1982, dopo 44 anni, in Spagna, la Nazionale italiana è diventata ancora campione del mondo e infine, nel 2006, ha conquistato per la quarta volta la coppa del mondo.

UNITÀ 8

- Traccia 21: *attività 22 (ascolto rilassato), 23 (ascolto attivo) e 24 (ascolto analitico)*

Al negozio di alimentari

M: Buongiorno signor Gino.
G: Buongiorno signora Mirella, come va?
M: Tutto bene, grazie.
G: Cosa prende oggi?
M: Intanto vorrei una bella mozzarella.
G: La preferisce fresca di bufala o confezionata?
M: Beh, di bufala è più buona no?
G: Altro che! È arrivata proprio stamattina.
M: Ah, allora ne prendo due fresche di bufala così le uso stasera per fare la caprese.
G: Ecco qua le sue mozzarelle. Desidera altro?
M: Sì, anche un po' di prosciutto.
G: Lo vuole crudo o cotto?
M: Ne vorrei due etti di quello crudo.
G: Però su quello cotto c'è l'offerta: se ne prende tre etti ne paga solo due.
M: Mi ha convinta; allora prendo quello cotto; vanno bene 3 etti.
G: Ecco qua.
M: Grazie. Ah, gli spaghetti senza glutine sono arrivati?
G: Sì, anche quelli stamattina.
M: Ah, meno male; sono gli unici che posso mangiare. Ne vorrei due pacchetti. Dove li trovo?
G: Su quello scaffale in fondo a destra.
M: Grazie ancora.

- Traccia 22: *attività 25 (ascolto rilassato), 26 (ascolto attivo) e 27 (ascolto analitico)*

Dal dottore

V: È permesso?
D: Prego... Ah, è Lei signor Venanzi, come va?
V: Buongiorno dottoressa; non mi sento per niente bene.
D: Che si sente?
V: Ho dei dolori muscolari, mal di gola e i brividi di freddo.
D: Sono i sintomi dell'influenza, tipici di questa stagione. Ha anche la febbre?
V: No, no, l'ho misurata prima di venire.
D: Allora va bene questo prodotto; si chiama *Actibis*.
V: Ma è efficace? Mi sento a pezzi.
D: Se non ha la febbre, questo prodotto è sufficiente e non c'è bisogno dell'antibiotico. Guardi, è una cura per cinque giorni. Nella confezione ci sono due tipi di compresse: quelle gialle sono per il giorno e quelle blu sono per la notte.
V: E come le devo prendere?
D: Ogni giorno deve prendere tre compresse gialle e una blu; di quelle gialle ne prende una la mattina, una dopo pranzo e una dopo cena: quella blu, invece, la prende prima di andare a letto.
V: Ah ho capito, spero proprio di guarire in fretta.
D: Sicuramente. È un buon prodotto.

UNITÀ 9

- Traccia 23: *attività 18 (individuazione), 19 (ascolto analitico)*

Quando in città si giocava per le strade

P: Ciao Nonno, scusa che ti ho fatto aspettare ma oggi il pulmino ha ritardato un po'.
A: Eh caro Paolino, ai miei tempi per andare a scuola bisognava camminare parecchio.
P: Perché? Mi racconti mentre torniamo a casa?
A: Certo. Devi sapere che quando io andavo a scuola non c'erano mezzi pubblici e quindi noi bambini che abitavamo in paese dovevamo andare a piedi; solo i più fortunati avevano una bicicletta per arrivare in città dove c'era la scuola.

P: Ma la città ti piaceva?
A: Sì, qualche volta mi fermavo dopo la scuola a giocare con i miei compagni di classe.
P: Qual era il posto che ti piaceva di più?
A: Preferivo la Piazza del Duomo perché non c'erano macchine e potevamo giocare a pallone.
P: E come erano le strade?
A: Alcune asfaltate e altre da asfaltare. Per le strade circolavano poche macchine e la gente si spostava soprattutto in bicicletta.
P: Ma non c'erano i giardini pubblici con gli scivoli e le altalene?
A: Ma no; i giardini pubblici non c'erano ma non c'era bisogno perché noi bambini uscivamo a giocare nei campi e nelle piazze, dove non c'erano i pericoli che ci sono adesso.
P: Nonno, ma se fai un paragone con il presente, cosa ti piace dei tuoi tempi e cosa no?
A: Dei miei tempi mi piaceva la sicurezza per le strade per noi bambini ma la cosa che non mi piaceva era che qualche volta non potevamo andare a scuola perché dovevamo aiutare gli adulti a lavorare nei campi o nelle botteghe.
P: E ora che cosa pensi della città?
A: Beh, a parte il centro storico, la città oggi è molto cambiata ma soprattutto sono cambiate le abitudini della gente che ci vive.

- Traccia 24: *attività 22 (trascrizione)*

Gli antichi romani e la vita quotidiana

Roma nell'antichità era una città ricca di negozi, mercati di ogni tipo e centri commerciali come ad esempio i Mercati di Traiano che avevano negozi disposti su ben cinque piani. Questi negozi si chiamavano tabernae e vendevano di tutto: cibi freschi e secchi, profumi, stoffe, calzature, giocattoli, oggetti per la casa, prodotti per l'igiene personale. Qui c'erano anche sarti, calzolai e parrucchieri e le ricche signore romane andavano in questi centri per incontrare le amiche e fare i pettegolezzi, proprio come oggi. I romani non conoscevano alcuni cibi come la pasta, i pomodori e lo zucchero ma usavano salse che a noi sembrano davvero strane come il garum, a base di pesce marinato. I pasti principali, come per gli italiani di oggi, erano tre. Il primo era la colazione composta da pane intinto nel vino, formaggio, uova, frutta e miele. Poi veniva il pranzo a base di verdure, carne fredda e frutta. Il pasto più importante, però, era la cena, che durava molto tempo: iniziava nel pomeriggio, subito dopo il bagno alle terme, e finiva a tarda notte o la mattina dopo. Sulla tavola c'erano tantissimi tipi di carne, pesce, legumi, verdure, frutta e dolci. Una cosa che agli italiani di oggi può sembrare strana è che alle donne era assolutamente vietato bere vino.

- Traccia 25: *attività 26 (ascolto rilassato), 27 (ascolto attivo) e 28 (ascolto analitico)*

Fotografie

Nipote: Nonna, che stai facendo?
Nonna: Sto guardando queste vecchie fotografie.
Nipote: Posso vederle anche io?
Nonna: Ma sì, certo, vieni qui che le guardiamo insieme.
Nipote: Sono molto belle ma non conosco nessuno in queste foto. Questa bambina con il libro in mano e con questi occhiali, per esempio, chi è?
Nonna: Ma come, non la riconosci?
Nipote: Mhh, no.
Nonna: E invece la conosci molto bene, è zia Roberta.
Nipote: Zia Roberta? Come era diversa! Certo che è cambiata, eh?
Nonna: Mia cara, tutti cambiano con il passare degli anni.
Nipote: Hai ragione, nonna. Ma quanti anni aveva in questa foto?
Nonna: Solo due. Stavamo nella casa di campagna dei miei genitori. Era una casa grandissima e aveva un bel giardino con tanti alberi. A tua zia piaceva tanto correre a destra e a sinistra e noi grandi dovevamo sempre stare attenti a quello che faceva e dove andava.
Nipote: Perché?
Nonna: Perché era vivacissima; si muoveva in continuazione e ogni giorno rompeva qualcosa.
Nipote: Ma non si stancava?
Nonna: No, non era mai stanca, come te adesso, e non voleva mai andare a dormire. C'era solo un modo per tenerla ferma.
Nipote: Come?
Nonna: Con un bel libro pieno di disegni. I libri erano una passione che aveva da bambina e che ha anche adesso.
Nipote: Sì, lo so, infatti ogni volta che vado a casa sua, ha un libro nuovo.

UNITÀ 10

- Traccia 26: *attività 18 (trascrizione)*

La passione di Casanova

A Venezia, nel XVIII secolo, la cioccolata era una bevanda molto diffusa e tutti la volevano. Solo i ricchi, però, la bevevano spesso perché costava molto. I caffè della città la preparavano con molta cura e la servivano in tazze molto eleganti. Anche l'affascinante seduttore Giacomo Casanova, che amava le belle donne, era molto goloso di cioccolata e ne beveva una tazza ogni volta che poteva. Quando partiva per un viaggio, portava sempre una piccola grattugia e delle barrette di cioccolato così, quando voleva bere una buona cioccolata calda, prendeva una barretta, la grattugiava, poi la versava in una tazza di acqua o latte caldo e la mescolava a lungo per ottenere una bevanda omogenea con una schiuma leggerissima. Le amanti di Casanova conoscevano questa sua passione e, quando lo invitavano nelle loro belle case, gli offrivano sempre una tazza di cioccolato caldo. Casanova amava la cioccolata non solo per il suo gusto ma anche perché lo teneva sveglio e gli dava la forza necessaria per affrontare le fatiche dell'amore.

- Traccia 27: *attività 23 (ascolto rilassato), 24 (ascolto attivo), 25 (ascolto analitico)*

In palestra

G: Scusa posso farti una domanda?
F: Sì, certo.
G: È da tanto che vieni in questa palestra?
F: Ci vengo da un paio d'anni, perché?
G: Niente, mi sono iscritta solo la settimana scorsa e volevo sentire il parere di qualcuno che la frequenta da tempo.
F: Infatti è la prima volta che ti vedo. Comunque io qui mi trovo bene.
G: Anche a me sembra una buona palestra. Qui vicino c'è anche la metropolitana, vero?
F: Sì, infatti è comoda anche per questo; però io la uso poco e preferisco prendere il motorino.
G: Gli istruttori ti seguono?
F: Sì, sono molto qualificati e se hai bisogno ti aiutano.
G: Ma li trovo tutti i giorni?
F: Sì, ma a turni, alcuni vengono la mattina e altri il pomeriggio.
G: Ah, bene. Scusa ancora; tu paghi mese per mese o hai un abbonamento?
F: Ho l'abbonamento annuale, così risparmio e non devo pagare ogni mese. In più con l'abbonamento annuale è possibile avere sconti sulle bevande, sul solarium o sul corso di aerobica.
G: Forse in futuro lo faccio anch'io ma per il momento ho solo quello mensile perché prima vorrei vedere se mi trovo bene.
F: Giusto! Ah, io mi chiamo Filippo.
G: Io Giovanna, piacere. Beh, intanto buon allenamento.
F: Grazie, anche a te.

- Traccia 28: *attività 26 (ascolto rilassato), 27 (ascolto attivo), 28 (ascolto analitico)*

In camera

B: Elena vieni qua, ti faccio sentire un disco.
E: Eccomi Beatrice, che disco è?
B: Ti dico solo che è degli anni '80, vediamo se lo riconosci.
E: Ma è *Cicale* di Heather Parisi!
B: Esatto! ti ricordi quando la ballavamo in discoteca?
E: Altro che se mi ricordo! Quanto ci siamo divertite ... Ma dove l'hai preso?
B: L'ho trovato due settimane fa al mercato di Porta Portese, a Roma.
E: Lo fanno di domenica mi pare ...
B: Sì, è carino, c'è sempre un sacco di gente e ci trovi le cose più strane ....
E: Ma hanno anche altri dischi così vecchi?
B: Altro che... anche di più vecchi! Ne hanno tantissimi.
E: Che bella notizia che mi dai; pensa che da tanto tempo sto cercando dei vecchi dischi di Mina per la mia collezione; magari al mercato di Porta Portese li trovo.
B: Penso di sì.
E: Quasi quasi domenica prossima vado a Roma a dare un'occhiata ... Perché non mi accompagni? Così possiamo anche fare un giro per la città. È così bella!
B: Beh, anche a me sembra un'ottima idea. Se mi chiami sabato pomeriggio ci mettiamo d'accordo per l'orario.

Indice del CD audio

Unità 1

Traccia 1 [1’12”]
attività 15 (*ascolto rilassato*), 16 (*ascolto analitico*)

Traccia 2 [1’18”]
attività 27 (*trascrizione*)

Unità 2

Traccia 3 [0’50”]
attività 3 (*abbinamento*)

Traccia 4 [0’46”]
attività 4 (*abbinamento*)

Traccia 5 [1’30”]
attività 21 (*trascrizione*)

Traccia 6 [1’37”]
attività 25 (*ascolto rilassato*), 26 (*ascolto attivo*), 27 (*ascolto analitico*)

Unità 3

Traccia 7 [2’34”]
attività 30 (*trascrizione*)

Traccia 8 [1’47”]
attività 34 (*ascolto rilassato*), 35 (*ascolto attivo*), 36 (*ascolto analitico*), 37 (*ascolto analitico*)

Traccia 9 [2’10”]
attività 38 (*ascolto rilassato*), 39 (*ascolto attivo*), 40 (*ascolto analitico*)

Unità 4

Traccia 10 [1’30”]
attività 26 (*individuazione*)

Traccia 11 [2’09”]
attività 37 (*trascrizione*)

Traccia 12 [1’31”]
attività 41 (*ascolto rilassato*), 42 (*ascolto attivo*), 43 (*ascolto analitico*)

Unità 5

Traccia 13 [1’53”]
attività 21 (*trascrizione*)

Traccia 14 [1’57”]
attività 26 (*ascolto attivo*), attività 27 (*ascolto analitico*)

Unità 6

Traccia 15 [2’34”]
attività 25 (*trascrizione*)

Traccia 16 [2’06”]
attività 29 (*ascolto rilassato*), 30 (*ascolto attivo*), 31 (*ascolto analitico*)

Traccia 17 [1’25”]
attività 32 (*ascolto rilassato*), 33 (*ascolto attivo*), 34 (*ascolto analitico*)

Unità 7

Traccia 18 [2’48”]
attività 29 (*individuazione*)

Traccia 19 [3’00”]
attività 34 (*trascrizione*)

Traccia 20 [2’02”]
attività 38 (*ascolto rilassato*), 39 (*ascolto attivo*), 40 (*ascolto analitico*)

Unità 8

Traccia 21 [1’25”]
attività 23 (*ascolto rilassato*), 24 (*ascolto attivo*), 25 (*ascolto analitico*)

Traccia 22 [1’22”]
attività 26 (*ascolto rilassato*), 27 (*ascolto attivo*), 28 (*ascolto analitico*)

Unità 9

Traccia 23 [2’39”]
attività 18 (*individuazione*), 19 (*ascolto analitico*)

Traccia 24 [2’25”]
attività 22 (*trascrizione*)

Traccia 25 [1’59”]
attività 26 (*ascolto rilassato*), 27 (*ascolto attivo*), 28 (*ascolto analitico*)

Unità 10

Traccia 26 [1’55”]
attività 18 (*trascrizione*)

Traccia 27 [1’47”]
attività 23 (*ascolto rilassato*), 24 (*ascolto attivo*), 25 (*ascolto analitico*)

Traccia 28 [1’22”]
attività 26 (*ascolto rilassato*), 27 (*ascolto attivo*), 28 (*ascolto analitico*)

Durata totale: 51’55”

Centro! 1 si può integrare con:

ISBN 978-960-693-013-3 (Libro)
ISBN 978-960-693-015-7 (Libro+CD audio)

Collana Primiracconti, letture semplificate per stranieri.

Mistero in Via dei Tulipani (A1-A2) è una storia coinvolgente, e non senza colpi di scena, che si sviluppa all'interno di un condominio. Tutto inizia con l'omicidio del signor Cassi, l'inquilino del secondo piano: due sedicenni, Giacomo e Simona, decidono di mettersi sulle tracce dell'assassino. Le indagini porteranno i ragazzi a scoprire non solo il colpevole, ma anche l'amore.

Mistero in Via dei Tulipani, disponibile con o senza CD audio, contiene una sezione con stimolanti attività e le rispettive chiavi in appendice.

vuole portare il discorso proprio su quello.
– Oh, sì... il signor Cassi. Che cosa terribile!
– Lei lo conosceva? – chiede ancora Giacomo.
– No, ma so che faceva sempre tanto rumore.
– Anche ieri – commenta Simona.
– Ieri non ero a casa – dice il dottore. – Come ho detto anche alla polizia, ero in ospedale per il turno di notte...

Sabato notte

quel portabagagli. Può soltanto aspettare.
La macchina parte, si muove, poi si ferma.
Qualche secondo, e poi Giacomo sente dei rumori, delle voci e, subito dopo, la sirena delle macchine della polizia.
Finalmente qualcuno apre il portabagagli.
Un poliziotto aiuta il ragazzo a uscire e Giacomo si trova davanti...

Mistero in Via dei Tulipani | 29

Giorgio non vede Mario che arriva, Mario non vede la bicicletta di Giorgio, la sua Alfa Romeo è silenziosa, e Giorgio comunque[4] ascolta il suo cd nuovo, non sente i rumori della città.
Mario alza gli occhi solo quando vede una cosa nera davanti a lui, Giorgio sente qualcosa che colpisce la sua gamba, ma non ha il tempo di capire; Mario frena[5], ma è troppo tardi: Giorgio è caduto dalla bicicletta e grida[6]:
– Aiuto!

4. comunque: in ogni modo.
5. frenare: fermare la macchina.
6. gridare: parlare a voce alta

8 | edizioni Edilingua

9. meno male: per fortuna.

20 | edizioni Edilingua

Collana Primiracconti, letture semplificate per stranieri.

Traffico in centro (A1-A2), racconta la storia dell'amizia tra Giorgio (uno studente universitario di Legge) e Mario (un noto e serio avvocato), nata in seguito a un incidente stradale nel centro di Milano. Per Giorgio, Mario è l'immagine di quello che vuole diventare da "grande" e per Mario, al contrario. Giorgio è l'immagine del suo passato di ragazzo spensierato e allegro...

Traffico in centro, disponibile con o senza CD audio, contiene, una sezione con stimolanti attività e le rispettive chiavi in appendice.

ISBN 978-960-6632-17-4 (Libro)
ISBN 978-960-6632-77-8 (Libro+CD audio)

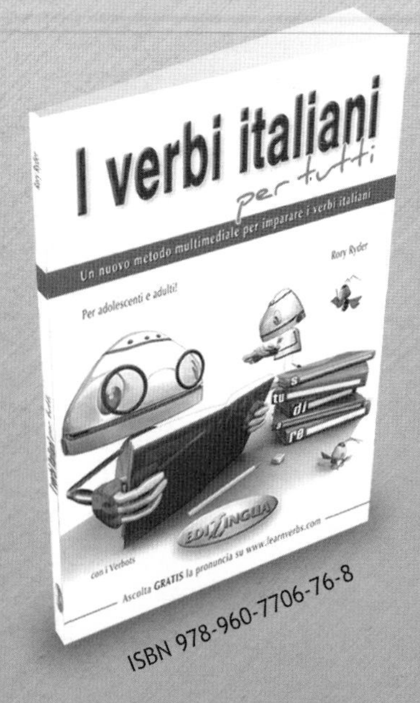

I verbi italiani per tutti,

raccoglie un centinaio di verbi tra quelli più frequenti e utilizza un approccio "multimediale". Di ciascun verbo viene data la coniugazione di tutti i tempi e i modi verbali, facilmente distinguibili in due tabelle colorate; un'immagine che descrive l'azione espressa dal verbo e la possibilità di ascoltare la pronuncia (online) della coniugazione.

Una ricca Appendice con ulteriori verbi irregolari, una sezione sulle reggenze verbali e un glossario plurilingue (inglese, francese, spagnolo, portoghese e cinese) completano il volume.

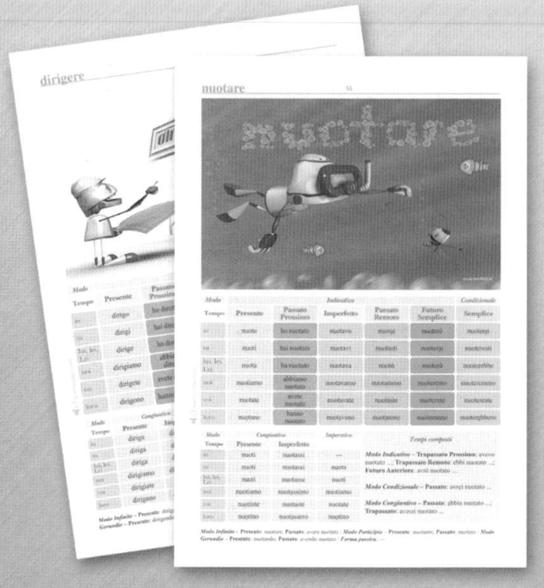

Una grammatica italiana per tutti 2 (edizione aggiornata)

Il volume offre un nuovo layout, più chiaro e accattivante, un apparato iconografico più vario e alcuni interventi mirati nelle schede grammaticali e negli esercizi.

Una grammatica italiana per tutti 2 si rivolge a studenti adolescenti e adulti di livello B1-B2 e può corredare e completare qualsiasi manuale. Il libro è organizzato in una parte teorica, che esamina le strutture della lingua italiana in modo chiaro ma completo, utilizzando un linguaggio semplice e numerosi esempi tratti dalla lingua di ogni giorno, e in una parte pratica, con una vasta gamma di esercizi e le rispettive chiavi in appendice.

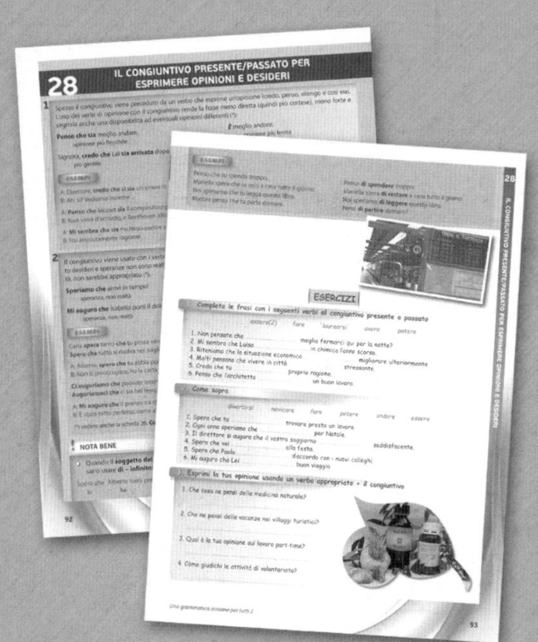

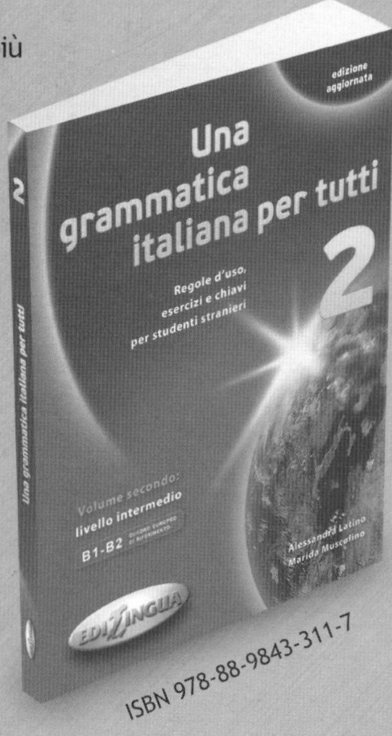